플로어

플로어

지은이 유재민

발 행 2024년 06월 11일
펴낸이 한건희
펴낸곳 주식회사 부크크
출판사등록 2014.07.15.(제2014-16호)
주 소 서울특별시 금천구 가산디지털1로 119 SK트윈타워 A동 305호
전 화 1670-8316
이메일 info@bookk.co.kr

ISBN 979-11-410-8910-8

플로어

유재민

BOOKK

차례

프롤로그 - 루션

이곳은 4가지 계급으로 나누어진 사회다. 가장 낮은 단계인 플로어, 그다음 시계탑의 1층, 그다음 시계탑의 2층, 마지막으로 시계탑의 3층까지. 아! 내 소개가 늦었다. 난 플로어 사람 '루션'이다.

내가 이 땅을 처음 밟은 뒤로부터 친구였던 친구 '파닉스'는 뭐랄까…. 조금 장난꾸러기다.

그리고 우리 둘과 거의 피를 나눈 사이라 할 수 있는 친구인 플로어 각 마을에 소식을 전해주는 소식 배달부 '키키'도 그냥 장난 좋아하는 소년일 뿐이다. 난 이 친구들 덕분에 마을 어른들로부터 목숨(정도는 아닌 거 같지만)을 구제받은 적이 많다.

때는 3년 전 춥디추운 겨울이었다. 우리는 파닉스가 새로 개발한 '불꽃 새총'의 테스트하기 위해 모인 자리였다.

파닉스가 말했다.

"에헴! 파닉스님께서 개발하신 '불꽃 새총'의 위력을

맛보거라!” 파닉스는 그렇게 말하곤 날아가던 새에게 새총을 쏘았다. 새를 맞추진 못하였지만, 그 시절 우리는 그것만으로도 행복했다.

내가 말했었다.

“야 파닉스! 나도 시켜준다며!”

“아니 잠깐만 기다리라고- 여기 이것도 봐봐. 이 버튼을 누르면~?”

“아 줘 봐!” 그 순간 새총의 버튼 중 ‘최대 출력 가동. 주의 요구함’이라고 적혀 있는 버튼이 눌렸고, 그대로 우리 옆집 살던 스타 아줌마네 집 창문을 깨버리고 말았다.

우리 사이에는 싸한 기류가 흘렀고, 스타 아줌마네 집 안에선 정확히 3초 후 소리를 지르는 소리가 들렸다. 마치 곰이 울부짖는 소리와도 같았다. 스타 아줌마가 나오기 전 우리는 변명거리를 생각해내고, 또 생각했다. 짧은 시간이었지만, 우리는 좋은 수를 생각해냈다. 그 생각은 바로 그냥 옆에 지나가는 애 붙잡아서 누명을 씌우는 것이다. 걔 이름이 루..즈? 로..조? 로즈? 아무튼 그런 이름이었던 거 같다. 지금 생각하면 미안하지만, 그때도 걸렸으면 우리는 죽은 목숨이나 다름없었다.

1. 플로어

마른 바람이 불어온다. 흩날리는 나뭇잎조차 없는, 생기 있는 푸른 식물조차도 찾아볼 수 없는 이곳은 플로어다.

모든 계층의 맨 아래인 플로어다. 안타깝게도 루션과 파닉스, 키키는 이곳에서 태어났다.

하지만 그들도 이젠 12살이다.

아직 한참 적은 나이지만, 적어도 제 앞가림은 할 줄 알았다.

파닉스가 말했다.

"아… 재밌는 소식 없냐?" 루션이 답했다.

"소식 들으려면 2시간 걸어서 옆 동네 간 키키 만나고 오던가."

"말이 되는 소리를 해. 루션!"

파닉스는 참을 수 없었다. 시답잖은 얘기나 하는 것도 싫증 났다.

"나 나갔다 올게."

"아니 파닉스 지금 어딜 나가겠다는 거야! 어? 지금 나가면 거의 쪄 죽을 날씬데 어? 또 지금 이거 이상한 거 만든다고 집 어질러 놓은 거는 또 어떻…."

"아 나 알아서 할게!"

"좀 심했나?" 루션은 잠시 자신을 자책했다. 하지만 자책도 그렇게 오래가진 않았다. 키키가 배달부들에게는 모두 있는 큰 마법 조랑말 '조랑'(키키가 받자마자 직접 조랑말에게 지어준 이름이다.)을 타고 집에 돌아온 것이다.

키키는 익숙하게 문을 열고 그들의 집에 들어와 항상 앉던 자리에 앉았다.

"파닉스 어디 갔냐?"

"몰라. 아까 재밌는 소식 뭐 어쩌고 하면서 갔는데."

"헐."

'아 따분하고 지루해.' 파닉스는 그런 생각을 하며 길을 걸었다.

파닉스는 자신이 어디로 가고 있는지 까먹어버렸다. 그래도 괜찮았다. 처음부터 생각하고 온 마을 게시판이 코앞이었기 때문이다. 파닉스는 '아 그래! 마을 게시판 오려고 했었지!'하며 게시판을 살펴봤다.

'시계탑 왕의 죽음… 하지만 왕자는 사라졌다…'

' 플로어 학교 개설...'

시계탑 왕의 죽음 따윈 파닉스에게 중요하지는 않은 얘기였다. 어차피 평생 플로어에서 살다 죽을 마당에 시계탑 높은 사람이 죽는 게 뭔 상관이란 말인가?

파닉스는 플로어에 학교 따위는 필요 없다고 생각하는 사람이었다. 어차피 글은 대충 읽을 수만 있으면 되고, 수를 셈하는 건 높은 사람 중에 수학자들이나 하는 것 아닌가?

"나왔어." 파닉스가 집에 돌아왔다.

"어디 갔다 왔냐?"

"몰라. 아니 그냥 마을 게시판 갔다가 왔는데." 키키가 물었다.

"마을 게시판 갔다 왔으면 소식이 있겠지~ 내가 모르는 거 가지고 왔냐?"

파닉스는 아까 봤던 학교에 대해 생각해냈다.

"아! 그래! 플로어에 무슨 학교가 생긴다고 했는데?"

하지만 그 소식은 키키도 아는 모양이었다. 놀랐던 건, 루션 뿐(학교에서 무엇을 하는지도 잘 모르는 낌새였지만)이었다. 키키가 말했다.

"그래! 학교에서 열심히 배우면 시계탑으로 올라갈 수 있잖아. 다른 마을에서는 벌써 학교 몇 개나 지어졌다고 했는데?"

루션은 무언가 생각난 듯 말했다.

7

"아 그래. 시계탑에서는 모두가 존중받는다고, 그래서 거기선 노력만 하면 자신을 마음껏 뽐내며 신분 상승하잖아. 예전부터 우리는 왜 그런 걸 못 하는지 의문이었어." 루션은 자신이 말하고도 놀란 낌새였다.

파닉스가 답했다.

"근데 그게 뭔 뜻이야?"

"사실 나도 신문에서 봐서 뜻은 잘 몰라." 플로어는 그런 곳이다. 마을 어른들에게 듣기만 하며 전해져 오는, 플로어에서 지식은 그런 것이다. 마치 전래동화 같았다. 옛날부터 전해져 오고, 그 속에서 계속하여 변형되고, 끝끝내 자리 잡은 것이다.

"거기 꼬맹이! 조심해서 가라고! 꼬맹이. 잘 모르나 본데, 여긴 학교가 세워질 거라고! 너도 나중에 여기 다녀라!"

"야 진짜 만드는데?" 루션이 말했다. 키키가 답했다.

"그럼 가짜로 만드냐?" 루션과 키키가 티격태격할 때 파닉스는 주변을 둘러보다 흥미로운 장면을 발견했다.

'어라. 저게 뭐지?'

파닉스는 플로어에서는 처음 보는 고급스러운 정장을 입은 남자를 보았다. 남자 옆에는 루션, 파닉스, 키키가 사는 동네의 이장님이 서 있었다.

파닉스는 몰래 그들의 대화를 엿들었다.

"아니 이장님. 저희 쪽에서 지원은 더 이상 불가능합니다. 이대로 시계탑 쪽에서 우리 회사가 플로어에 더 많이 지원해 준 게 들통나버리면….".

"아이 높으신 분이 왜 그러셔~ 그러면 저희도 이제 학교 증축은 그만할 테니, 다 만들 때까지만 좀 봐주쇼."

파닉스는 자신의 처지가 불쌍했다. 가장 천한 플로어에서 태어나 버린 바람에 이장님마저도 시계탑에 무릎 꿇다니!

루션은 무언가 가슴에서 벅차는 기분이 느껴졌다. 자신도 잘만 하면 여기서 열심히 배워서 시계탑에 올라가는 상상을 잠시 했다.

루션은 지나가던 인부 1명에게 물었다. "아저씨! 이거 공사 끝나고 개교하려면 얼마나 걸려요?" "음…. 적어도 3달은 걸리지 않을까 한다."

루션은 맥이 풀렸다. 3달 동안, 그것도 할 거 되게 없는 플로어에서 뭘 하고 지낸단 말인가.

… 생각보다 시간은 꽤 잘 갔다. 파닉스는 무려 1달 동

안 고안해서 만들어낸 '파닉스 바주카 베타 테스트 No.1'을 테스트하다가 집을 날려 먹을 뻔하기도 하고, 키키가 지나가던 깡패 무리에게 발이 묶여 원래 와야 하는 시간보다 3시간 늦게 온 적도 있었다.

루션은 그동안 친구들을 먹여 살려야 했다. 아무래도 키키가 일하고 파닉스가 이상한 짓 할 동안이라도 자신은 친구들에게 밥도 해주고, 집도 치워야 했다. 그것이 부모님 없는 3명의 무리에서 자신이 결정권을 잡을 수 있었던 이유였다.

루션이 집안일 하고, 키키가 일할 동안 파닉스는 이상한 짓 한다고 서술해놓기는 했지만 그것도 나름의 이유가 있었다. 다른 친구들이 열심히 일하고, 내가 재밌게 놀고, 행복했으면 친구들이 뿌듯해할 거 아닌가?

라고 파닉스의 책상(이라고 주장하는 쓰레기 아닌 쓰레기 같은 무언가) 위에 끄적인 종이에 쓰여 있었다.

…두 달하고도 보름 정도가 지났다. 루션, 파닉스, 키키가 살던 마을에 또래 아이들은 벌써부터 학교 이야기에 떠들썩했다.

키키는 오늘도 새 소식을 들고 왔다. 당연히 그들 중 대다수는 학교에 대한 이야기였다.

"… 그래서 이게 말이 돼? 아무리 시설 좋고, 돈 많이

10

썼어도 입학하는데 돈을 내야 된다고?"

그야말로 청천벽력이었다. 플로어 대다수는 가난했다. 아니. 모두가 가난했다. 아이들이 입학할 때 내야 하는 돈은 키키 월급을 숨만 쉬고 모아서 적어도 5년은 모아야 하는 양이었다.

"…이거 괜찮은 거 맞냐?" 그래서, 그들은 어차피 착실하게 돈만 모아서 30년 뒤에 입학할 것 같으니 훔치기로 했다. 당연히 1명한테만 훔치는 건 아니고, 여러명한테서 개교할 때까지 꾸준히 훔쳐야 했다.

계획은 간단한 것부터 시작했다.

"너네 정말 머리가 어떻게 된 게냐?"

그렇다. 이장님에게 허락받으러 간 것이다. 남이 보기에는 정말 무모한 짓이었다. 루션, 파닉스, 키키가 보기에도 무모한 짓이 맞았다. 그래도, 그들은 계획… 따윈 없었다. 이장님이 허락해 줄지는 아무도 모르는 일이었기 때문이다.

다행일지도, 불행일지도 모르는 것은 이장님이 허락해 주셨다는 것이다. 플로어는 사실 오래전부터 깡패들이 점령한 곳이었다. 깡패들은 범죄에 연루된 더러운 돈들을 마구 쓰고 다녔다.(그마저도 돈이 적은 게 문제지만) 이장님은 훔칠 거면 그런 녀석들의 돈을 훔치라고 권장 (하다 못 해 아이들에게 허락해 준 것 같지만)하셨다. "대신, 그런 일을 하다가 생기는 일들은 너희가 책임져

11

야 한다.” 아이들은 동시에 답했다. “네!”

…파닉스는 이장님에게 허락받고 난 후 잠을 자지 못하였다. '루션, 파닉스, 키키의 악동의 밤 작전!'을 무사히 성공시키려면 예전에 만든 '파닉스의 고물들' 상자에 든 발명품들을 고쳐야 했기 때문이다.

정말 덥다. 이 정도면 쪄 죽어도 납득이 갈 만한 날씨였다. “… 나… 가기… 싫… 어… ….” 루션이 말했다. 충분히 그럴 수 있었다. 하지만 키키는 고집을 부렸다. “루션! 어? 지금 우리 밥도 차리고, 어? 빨리 아침부터 나가서 우리 입학 자금도 좀 모으고, 어? 너 학교 안 다닐 거야?” “아 잔소리 좀 그만해!”

루션이 졌다. 결국 나와버렸다. 그래도, '루션, 파닉스, 키키의 악동의 밤 작전!'은 꽤 수월하게 진행되었다. 한 가지 아쉬운 점이 있다면, 밤이 아니라 아침에 임무를 수행했다는 것이다.

“… 이게 다 얼마야? 하나, 두이, 석삼, 너구리, 오징어, 육개장, 칠면조, 팔푼이….” “됐어! 입학할 수 있어!”

파닉스는 엎드려 졸다가도 갑자기 일어나 환호를 질렀다. “역시 우리가 성공할 줄 알았어!”

2. 학교

플로어의 아이들을 학교에 초대합니다!

 그 날이다. 그날이 다가온 것이다. 플로어의 아이들이 모두 고대하고 고대하던 마을의 첫 학교 개교였다. 이곳에 돈도 준비 안하고 온 멍청이들은 없었다. 그 대신 그들의 부모님이 고생하거나, 자신들이 고생 했었지만.
 교장선생님의 연설이 시작된다.
 "아아! 들리십니까. 학생 여러분? 그리고 학부모님들?" 그 뒤로 5초간 귀가 터질 듯한 '네!' 혹은 '들려요!'라는 함성 소리가 들렸다
 "저희 마을에 드디어 학교가 개교하였습니다. 모든 일은 시계탑의 회사 '시계는워치'에서 지원해 주셨습니다. … 저희 학교는, 3달에 한 번씩 있을 예정인 진급 시험에서 그동안 학년에서 배운 모든 문제 들을 통과할 경우 3달에 한 번인 학기가 지난 후 다음 학년으로 올라

갈 예정입니다. 그리하여 6학년까지 모든 수료 과정을 거친 후라면 졸업하여 시계탑으로 갈 수 있게 됩니다. 마지막으로, 3달의 학기 이후 방학은 1달일 예정입니다. 그동안 수강료를 마련해 두세요…. 우리 학교의 운영 방식이 이해되셨나요?" 이해된 사람은 많이 없는 것 같았다. 왜냐하면 아이들은 흥분하여 주변의 말소리는 안중에도 없었기 때문이다.

파닉스와 키키도 그런 상태였다. 하지만 루션은 나중에 분명 집에서 파닉스가 '야 그럼 학년은 1년에 한 번씩 올라가냐?'라고 물어볼 것이 눈에 훤했기 때문에 집중해서 듣고 있었다.

"동시에, 팀 제도를 운용하여 학기가 끝날 때마다 팀 서바이벌 경기를 실시, 가장 강한 학생을 겨루며 학생들끼리의 협동도 중요시하는 학교가 될 것입니다."

… 그들은 길었던 연설을 뒤로 하고 밤이 되어 집으로 돌아왔다. 교장의 말대로라면 8월 1일부터 새 학기는 시작될 것이다. 8월은 더운 날씨였다. 아니, 완전 더운 날씨였다. 퍼질러 자는 두 친구를 뒤로하고 루션은 고민에 빠졌다. '아니 쟤네 아침에 분명 못 일어날 건데 어떻게 하려고…. 또 아침에 더우면 애들 짜증 난다고

14

막 투덜거릴 건데…. 아무리 키키의 조랑이 있다 하더라도….'

파닉스는 루션의 생각을 알아차린 듯 자다가도 말했다. "루션~ 걱정하지 마. 우리 이제, 시계탑 가면은~ 같이 평생 행복하게 살자!"

루션은 새삼 눈물이 났다. 찡해지는 코와, 미어지는 가슴에, 오늘도, 세상이 싫어진다. 루션은 좋게 생각하기로 했다. 그들에게, 기회가 주어진 것이니까.

7월 29일. 입학날 까지 사흘 남았다. 루션은 친구들을 깨웠다.

키키는 들릴 듯 말 듯한 목소리로 "아 일하는 거 짜증나."하고 투덜댔다. 그들에겐 자금이 있음에도 키키가 충분히 일해야 했다. 학기 중에는 일을 할 수 없기 때문에 키키가 일하는 곳 소장인 '푸퍼크' 아저씨에게 일을 대신 맡기고 모아둔 돈으로 밥을 먹어야 했다. 키키가 하는 일은 말이 좋아 소식 배달부이지, 그냥 신문 배달부였다. 신문 배달부하고 다른 점은, 정 없이 그냥 신문만 놓고 가지는 않는다는 것이다. 마을 아저씨, 아줌마들에게 친근하게 말동무도 되어주고, 가끔 운이 좋으면 먹을 것을 얻어오거나, 보너스도 챙겼다. 키키는 자신의 현재 직장이 평생직장이라는 생각은 안 들었지만, 마음에 들긴 했다. 무엇보다 가장 마음에 드는 건, 조랑이 일할 때 항상 옆에 있기 때문이다.

15

7월 30일, 루션은 파닉스와 푸퍼크 아저씨에게 대신 일을 맡긴 키키를 데리고 등굣길을 가는 연습을 했다. (물론 조랑이 데려다 준다!)

조랑은 처음엔 약간 힘든 듯 보였다. 3번째로 갔다가 오는 길엔 조랑이 왼쪽으로 가야 하는 길을 오른쪽으로 갔다가 그대로 15분을 날려 버렸다. 7번째 학교로 가는 길은 조랑이 위에서 장난 치던 파닉스를 날려 버려 다시 집에 돌아가는 대참사가 있기도 했다.

24번째 학교 가는 길. 처음 보는 사람들은 조랑을 학대 하는 것으로 오해할 수 있으나 소식 배달부들에게 주어지는 조랑말들은 '**마법**' 조랑말이기 때문에 절대로 지치지 않았다.(조랑이 그렇게 생각할지는 모르겠지만.)

31번째 즈음 될 때는 파닉스가 이제 그만하자고 졸라 댔다. 키키는 굳이 그렇게 조르며 에너지를 소비할 필요는 없다고 생각했다. 어차피 루션은 허락 안 해줄 것을 알기 때문이다.

37번째, 모든 친구와 조랑도 길을 확실히 외웠다. 그들은 배가 고팠다. 학교 가는 길은 조랑을 타고 집에서 17분 정도의 거리였다. 그렇다. 이들은 10시간 동안 학교 가는 길을 외운 것이다. 파닉스는 노동도 이런 노동은 없으리라 생각했다.

37번째까지 끝낸 다음, 루션이 말했다. "이 정도면 다 외웠겠지? 그럼 됐어. 밥 먹자."

파닉스는 밥이 행복했다. 점심도 안 먹었는데, 공복 속 저녁은 그야말로 '행복'으로 표현할 수 있었다.

7월 31일, 이제 가방을 챙겨야 했다. 하지만, 루션은 그들이 가방이 없다는 것을 알아차렸다.

루션은 밥도 안 먹고 자책했다. '모두 나 때문이야. 학교 가는데 가방도 없으면 파닉스랑 키키가 놀림 받을거야.'

파닉스가 말했다. "괜찮아 루션. 내가 내일까지 어떻게든 가방 구할게."

...

...

...

"쟤 어디 간 거야?" 그렇다. 그들은 파닉스가 어디로 간 지 몰랐다. "됐어. 가방 없으면 보따리 하나 챙겨가면 되지."

8월 1일. 개학이다. 그들은 평소보다 조금 일찍 일어나서 조랑을 타고 7시 20분 정도에 학교에 도착했다.

파닉스와 키키는 기운이 넘쳤다. 루션이 말했다. "아 파닉스. 어제 어떻게 그럴 수 있었냐?" 7월 31일 파닉스가 나간 후 있던 일은.

파닉스는 집 밖으로 나왔다. 그리고, 플로어에서 가장 큰 쓰레기장으로 달렸다. 그리고, 쓰레기장을 뒤졌다. 더럽고, 냄새 났지만, 그냥 했다.

파닉스는 그중에서도 가장 깨끗한 가방을 골랐다. 그중에서도 이물질을 걸러내기 위해 스타 아줌마가 운영하는 스타 세탁방에 들러서 손빨래했다. 세탁기나 건조기를 생각했던 사람들은 큰 오산이다. 플로어에는 그런 것 따윈 없기 때문이다.

그의 친구들은 파닉스가 가방을 어디서 가져왔는지는 모른다. 그걸 아는 순간엔, 파닉스가 이 세상에 남아나지 않을 수도 있기 때문이다. 딱히 신경 쓰지 않을 수도 있다. 플로어 사람들은 쓰레기를 다시 쓰는 것에 크게 신경 쓰지 않기 때문이다.

입학식이 시작했다. 12살부터 16살까지의 플로어 어린이, 청소년들은 학교에 입학할 수 있었다. 그 나이 이하의 학생들은 앞으로의 일들이 기대되겠지만, 그 이상인 17살들은 정문에서 부러운 눈으로 학생들을 쳐다보거나, 아니면, 1년만 늦게 태어날걸, 하며 짜증을 내고 있었다.

루션, 파닉스, 키키는 모든 것이 신기했다. '학교란 이런 곳이구나~'하며 학교 곳곳을 둘러보았다. 그들은 간단하게 입학식에서 교장 선생님의 말씀을 듣고, 자신들의 반으로 갔다. 그들은 모두 같은 반이었다.

그들은 같이 떠들며 반으로 들어섰다. 루션은 선생님이 엄하신 분이면 어쩌지 하는 생각을 잠시 했지만, 반아이들도 모두 떠들고 있는 것을 보며 안심 했다.

선생님이 교탁을 2번 쳤다. "쿵! 쿵!" "학생들! 이제 조용히 하고요~ 저는 3달 동안 여러분들을 가르칠 '라이' 선생님입니다! 모두 반가워요!"

하지만 이럴 땐 불청객이 꼭 하나씩 있는 법이다. 딱 봐도 짓궂어 보이는 학생 한 명이 선생님께 질문했다. "선생님~ 멍청한 애들은 쌤이랑 6개월 하는 거 아녜요?" 그는 들릴 듯 말 듯한 소리로 킥킥 웃었다.

선생님이 말씀하셨다. "멍청하다는 말은, 우리 앞으로 쓰지 말자? 네 이름이 뭐니? 음…. '안킬로'구나? 나이는…. 15살? 너 여기서 나이 많은 편에 속할 텐데? 어린아이들에게 모범을 보여야지." "그리고 선생님은 우리 학교를 만드는 데 지원해 주신 시계는 워치 소속의 시계탑 3층에서 왔습니다!" 학생들은 놀라는 눈치였다. 플로어에 시계탑 사람은 매우 드물기 때문이다.

… 수업이 끝났다. 오늘은 대충 학교 운영에 관해 설명하고 단축수업을 한다고 하셨다. 뭐, 그렇게 싫진 않았

다.

키키가 집에 가며 말했다.

"수업도 괜찮았고, 이 정도면 학교 괜찮은데?"

루션이 반박하며 말했다.

"그러면, 안 괜찮으면 안 다닐 거냐?"

키키가 말했다.

"치. 나한테만 그래."

8월 2일. 덥다. 아니, 입학 2일 차다. 오늘은 뭐 특별한 일은 없었다. 키키가 급식을 먹다가 급식을 먹어 본다는 것에 감격해서 파닉스 옷에 빨간 양념 국물을 뱉어 버리는 것 빼고는.

그로부터 1주일 정도 지났다. 학교 수업은 지루했다. 조금도 아닌 매우나. 과목은 총 6가지였다. 국어, 수학, 플로어의 역사, 시계탑의 역사, 도덕, 전투 훈련까지. 국어, 수학은 모두가 알다시피 책 읽고, 문제에 답하고, 또 더하고, 빼고, 곱하고, 나누고 이런 것들이었다. 플로어의 역사는 생각보다 자세했다. 플로어의 시작부터 많았던 혁명들, 시계탑과의 전쟁들. 하지만 끝은 모두 플로어 시민들의 패배였다.

루션은 몰랐던 사실을 점점 채워 나가고 있는 것에 상쾌했지만, 파닉스는 이딴 것들을 왜 배우고 있는지 궁금했다.

파닉스가 가장 좋아하는 과목은 전투 훈련이었다. 사

실 거의 모든 학생이 그럴 것이다. 전투 훈련은 말 그대로 혹시 모를 상황에 대비하여 칼을 들고 싸우는 것이다. 선생님의 말씀대로는 2학년 즈음 되면 전투 훈련 시간 이외에도 전투를 할 수 있는 '마법 훈련' 시간이 생길 것이라 하셨다.

루션과 그의 친구들은 모두 마법이라고는 곰곰이 생각해본 적이 없었다. 당연히 어릴 때부터 어른들에게 배운 것이라곤 마법은 너희 인생에서 꿈도 꾸지 말라는 것이 전부였기에 마법에 대한 자신들의 생각이 없었다.

파닉스와 키키는 마냥 마법과 칼싸움이 즐거웠지만 루션은 그의 친구들이 다른 과목들도 소홀히 하지 않을지 걱정만 될 뿐이었다.

어느덧 학교에 다닌 지 2달 하고도 보름이 조금 지났다. 슬슬 학생들 사이에는 팀 서바이벌 경기에 관한 이야기가 오고 갔다.

루션은 그날 밤 친구들에게 얘기했다. "우리는 이번 학기에 경기 안 나갈 거니까 그렇게 알고 있어라."

키키가 말했다. "왜? 나가서 이기면 상품도 받고, 좋잖아! 안 나갈 이유가 뭐가 있어?"

루션이 말했다. "안 나갈 이유가 너희 바로 옆에 있거든." 안 나갈 이유는 바로 파닉스와 키키 옆에 쌓여 있는 숙제들이었다. 솔직히, 루션도 만만치는 않았다. 숙제를 미루고, 미루다가 결국 그들의 집 안에 있는 종이의 합계보다도 숙제의 양이 더 많아져 버린 것이다. 지금부터 밤을 새워서 숙제를 하더라도 내일 학교에 정확히 10시 30분에 등교할 것이다.

파닉스가 말했다. "오케이! 그러면, 내일 학교 빠지면, 우리가 숙제 완벽히 끝낼게. 그럼 합의됐어?" 그렇게 셋은 다음 날 학교를 빠지게 됐다. 대신, 학교보다 더 힘들게 공부했지만,

다시 학교다. 예전보다 달라진 점이 있다면, 학기가 끝나가다 보니 학교 전체에 축제 분위기가 맴돈다는 것이다.

루션과 그의 친구들이 학기 동안 공부를 안 한 것 같지만 꽤 열심히 공부했다. 학교를 안 간 날에는 숙제를 완벽히 끝냈고, 수업도 열심히 들었다. (전투 훈련 수업뿐이지만.)

선생님이 말씀하셨다. "비록 3달뿐이었지만, 선생님은 여러분들과 함께할 수 있어서 좋았어요. 오늘은 반 친구들에게 롤링 페이퍼를 쓰는 시간을 가져 보겠습니다!"

루션과 그의 친구들은 직감적으로 무언가 잘 못 되었음을 느꼈다. 그들은 학기 내내 서로 붙어 다니기만 해서 같은 반 아이들과 이야기를 한 적이 없었다. 아, 한 번 있었다. 안킬로가 키키의 어깨를 치고 지나가서 큰 싸움이 일어날 뻔한 적을 말리려고 한 번 이야기한 적

이 있었다. 그 외에는 단 한 번도 없었다.

 그들은 롤링 페이퍼에 대충 "같은 반이었기에 즐거웠어." 같은 말로 두루뭉술하게 끝냈다.

 반에서 담임 선생님과의 수업은 오늘로 끝이 났다.
 담임 선생님께서는 "꼭 결과에 만족할 수 있기를…."이라고 중얼거리고 계셨다.
 진급 시험이다. 학기의 끝을 알리는 진급 시험. 모두 각자의 시험장으로 이동한다.
 "잘 가!"
 "응. 시험 열심히 보고!" 주변에서는 이런 말들이 오고 갔다.
 진급 시험은 교무실에서 번호표를 뽑고 시험장에서 줄을 서서 자신의 차례가 되면 시험장에서 필기 시험, 실기 시험을 치르게 된다. 뭐 떨릴 건 없었다. 1학년 과정은 매우 쉬웠기에.

3. 진급 시험

"학생. 번호표 들고 시험장에 줄 서 계세요." 루션의
번호는 '시험 번호 47번'이었다. 시험은 번호 오름차순
으로 치르기에 꽤 빠른 순서였다. 그들의 학교 학생은
모두 398명이었다.

파닉스는 절망했다. 398명 중에 397번이었다. 앞의
396명이 시험 칠 동안 기다려야 된다는 것이다. 하나
안심해도 될 것은, 인원이 많기에 200명씩 끊어서 시험
을 치른다는 것이었다.

"괜찮아. 내일 시험 칠 때는 197번이잖아? 긍정적으로
생각해."

"퍽이나 긍정적이겠다. 너희들은 47번, 72번이라 모르
지? 진짜 짜증나."

루션은 파닉스를 이해할 수 없었다. 뭐 시험 따위 늦
게 치르면 어떤가? 심지어 늦게 치를수록 공부할 시간
은 더 늘어간다.

… 파닉스 혼자 집이다…. 친구들은 모두 시험을 치른 다고 학교에 있다…. 밤에 친구들 없이 집에 있는다는 것은 파닉스에게 용납할 수 없는 일이었다….

루션과 키키는 다음 날에 시험을 치를 파닉스를 배웅 해주고 시험을 치르러 갔다.

"45번 학생! 시험장으로 들어오세요." 루션의 차례가 다가온다. 루션은 점점 마음이 조급해졌다.

키키가 말했다.

"루션! 걱정할 것 없어. 1학년 교과과정. 뭐 쉽잖아? 안 그래?"

키키의 말이 맞았다. 하지만, 그 누가 오더라도 긴장하지 않을 사람은 없었다.

"46번 들어오세요!"

루션의 순서가 다음이다.

"47번 들어오세요!"

키키가 말했다. "잘하고 와!"

루션은 터덜터덜 시험장으로 걸어갔다. 15분은 필기, 15분은 실기 시험으로 이루어져 두 과목 모두 60점을 넘기면 다음 학년으로 진급이었다.

"필기 시험 시작하겠습니다."

…조금 놀랐다. 시계탑에서 아무리 돈을 많이 쥐어도 이 정도로 학교가 최첨단일 줄은 몰랐다. 그의 앞에는 로봇이 서 있었다.

…문제는 굉장히 쉬웠다. 마치 지나가는 6살 어린이에게 1시간 동안 수업하고 문제를 내도 모두 맞힐 정도였다.

…필기 시험은 간단히 끝냈다. 다음은 실기 시험이다. 실기 시험은 전투 수업에서 배운 검술 위주로 했다.

루션은 침착하게 자리에서 일어나 검을 집어 들었다…. 모든 감각을 검에 집중시켰다….

"첫 번째는 '총에 대한 반응'입니다. 날아오는 장난감 총알을 검으로 베거나, 피하시면 됩니다."

루션은 괜히 긴장한 것 같아 무안했다. '겨우 장난감 총이야?' 맞으면 아프긴 하겠지만, 플로어에서 나고 자란 아이들이라면, 마을마다 한 명씩은 있는 파닉스 같은 애들이 만든 장난감 총에 한 번쯤은 맞아본 적이 있을 것이다.

펑!

루션은 갑작스러운 소리에 다소 우스꽝스러워 보일 수 있는 자세로 피했다. 루션은 로봇이 "1점 감점…." 이라고 중얼거리는 것을 들은 것 같지만 기분 탓으로 넘겼다.

"두 번째는 '검에 대한 반응'입니다. 날아오는 단검을 모두 쳐내시면 됩니다."

루션은 매우 당황했다. '진짜 단검이야?' 루션은 진짜 단검을 피하지 못하고 맞을까 봐 식은땀이 흐르기 시작했다.

슉!

단검이 날아왔다. 당황한 것 치곤 루션은 멋지게 들고 있는 검으로 단검을 쳐냈다.

슉!

두 번째는 더 쉬웠다.

슉!

세 번째, 가뿐히 끝내버렸다.

"잘하셨습니다. 마지막은 '실전 전투' 훈련입니다. 저를 제압하십시오."

루션은 잠시 놀랐지만 바로 들어오는 공격에 대응했다. 가벼운 몸놀림으로 가뿐히 자신의 목을 향해 오는 검을 피했다. '이거지!'

루션은 공격을 준비했다. 석 달뿐이었지만 열심히 라이 선생님께 배웠으므로 보답하고 싶었다.

루션은 앞으로 한 바퀴 구른 후 목을 노려 검을 날렸다.

로봇의 머리와 몸통이 분리되고, 몸통엔 "합격입니다!

자세한 공지는 사흘 후 통보할 예정입니다."라고 디스플레이 화면에 띄워져 있었다. 루션은 만족스러웠다고 생각 후, 시험장 밖으로 나와 나머지 학생들의 시험이 끝날 때까지 키키와 함께 수다를 떨며 기다렸다.

…그들의 시험이 끝나고 이틀 후 팀 서바이벌 경기가 열렸다. 솔직히 별로 신경 쓸 내용은 아니었다. 대충 힘이 센 애들이 이기고 걔네가 상품 받고 끝났다.

우승팀은 무언가 특이해서 그들이 기억하고 있었다. 서바이벌 팀 경기는 총 5명이 팀을 할 수 있어서 5명의 팀이 우승할 확률이 높았지만, 1회 팀 서바이벌 경기의 우승팀은 인원이 4명이었다.

…방학이 시작됐다. 다음 학년에 쓸 등록금을 마련하려면 신발이 다 닳도록 일해야 한다. 물론 키키가.

파닉스는 오늘도 여전히 집구석에서 하는 일 없이 자다가, 일어나서 밥 먹다가, 이상한 것을 만들면서 혼자 히죽거리다가, 다시 자는 것을 반복했다.

루션은 방학을 맞이한 김에 시장에 갔다. 그렇다고 파닉스를 굶게 둘 수는 없으니 간단하게 점심 정도만 차려 놓고 나왔다. 루션이 나갔다가 온다고 했을 때 파닉스는 약간 기뻐하는 것 같기도 하였다.

루션은 오랜만에 나온 시장에 매우 즐거워했다. 비록 볼 것은 상점 4~5개에 돈 없어서 사지도 못하는 병 걸리고 늙어서 죽은 살이 하나 없는 동물 정도였지만 루션은 즐거웠다.

루션은 친구들에게 맛있는 밥을 해 주기 위해 약 2시간 간의 회의를 통한 식비로 음식 재료들을 샀다. 고르고 골라 엄선한 더러운 것 중에 가장 깨끗한 것과, 친구들의 건강까지 생각해 야채들을 많이 샀다. 분명 파닉스와 키키는 '어 우리가 식비 그렇게 많이 줬는데, 고기 같은 건 안 사고, 이상한 풀떼기들이나 사 왔어!' 할 것이라고 루션은 생각하고 있었다.

그들은 모두 2학년으로 진급하는 데에 성공했다. 루션은 그들에게 다음 학년 교과과정을 미리 예습 해놓는 것이 어떻겠냐고 제안해 보았으나, 문제집을 만들 만한 돈이 있는 인쇄사가 없어서 금방 이 계획은 무산되었다.

다음 학년은 무시할 만한 것이 아니었다. 이제 팀 서바이벌 경기도 준비해야 했다. 그러려면 팀도 모아야 하는데 지난 학기에는 인맥을 늘리지 않았다. 아마 2학년으로 올라가면 모두 친해져 있는 마당에 그들만 세 명이서 항상 놀고 있을 것이다.

그렇기에 그들은 다음 학기엔 많은 친구를 사귀어 보기로 하고 잠들었다. 그날은 유난히 밝았던, 보름달이 하늘 높이 뜬 날이었다.

그 뒤로 별일 없이 지냈다. 큰일 하나가 있었다면, 키키의 조랑이 호랑나비를 쫓으며 집에서 1시간 반 정도 걸어가야 나오는 곳으로 이동한 것이다. 그 사실은 파닉스가 조랑의 발자국을 따라 이동하다가 호랑나비와 놀고 있던 조랑을 발견하여 알게 되었다.

… 개학이 다가온다. 그 말인즉슨, 키키가 푸퍼크 아저씨에게 모든 일을 맡기고 가야 한다는 것이다. 간단한 것처럼 보이지만, 푸퍼크 아저씨는 꽤 까탈스러운 분이셨다.

"아저씨. 할 말이 있어요." 키키가 떨리는 목소리로 직원 대기실에 앉아있는 푸퍼크 아저씨를 불렀다.

"뭔 일이냐. 학교 때문이냐?" 하고 푸퍼크 아저씨가 답했다.

"네. 이번에도 아저씨께서 고객분들에게 소식을 대신 전해드렸으면 해요." 키키가 말했다.

"…그래. 알았다. 학교생활 열심히 하거라." 푸퍼크 아저씨는 꽤 쉽게 제안을 받아들였다. 키키가 발걸음을 뗀 순간 "그놈의 학교란…." 이라고 작은 목소리로 중얼거리기는 했지만.

…다음날이 개학이다. 루션과 파닉스, 키키는 첫날부터

지각을 용서할 수 없었기에 일찍 잠들기로 했다.
"잘 자."

4. 로즈와 루루

"그래서 걔가 그때 뭐라는지 알아?"

개학하는 날의 학교는 사람들로 붐볐다. 루션은 모두 아는 사이인 듯 자기들끼리 떠드는 모습에 머리가 어지러웠다. 자신이 꽤 마당발이라 생각했던 루션은, 아니었다. 그저 자신의 오만에 불과했다.

"조용. 조용!" 새로운 선생님께서 호통을 치셨다. 라이 선생님과는 다른 모습이었다. 꽤 힘든 자신의 3개월이 저절로 그려지는 그였다.

"첫날이라고 놀이 같은 것을 생각한 것은 아니겠지. 첫 수업은 마법 수업이다. 줄 서거라!"

파닉스는 첫 마법 수업에 가슴이 두근거렸다. 플로어에 잠시 내려온 시계탑 사람들이 아니라면 플로어에서 마법을 접해본 사람은 아무도 없었다.

수업은 모두 담임 선생님께서 하지만, 수업마다 반은

옮겨야 했다. 학생들이 3개월 동안 사용해야 하는 교실에서 책상이라도 터진다면 수습은 모두 학교의 책임이었다. 아니, 자세히 말하면 비싼 책상을 물어내야 하는 건 가난한 교장이었다.

"첫 번째로 배울 마법은 가장 어려우면서도 누구에겐 마법이 없어도 가능한 것이다. 교재는 12쪽이다. 예습한 사람들은 이미 알고 있는 놈들도 있겠지. 사이코메트리!(Psychometry. 대기와 물건에서 시각, 청각, 후각, 통각을 읽어내는 초감각 능력을 가리킨다.)"

파닉스는 어리둥절했다.

"뭔.… 트리?" 파닉스는 루션에게 단 하나도 모르겠다는 투로 말했다.

"다들 모르는 모양이구먼. 게으른 녀석들. 혹시, 나와서 시범 보일 놈 있나?"

그들은 주위를 둘러보았다. 손 드는 사람이 있는지 보기 위해서였다.

"저요! 제가 하겠습니다." 하늘같이 푸른 머리의 소녀가 손을 들었다. 루션은 어딘가 익숙해 불쾌한 느낌이 들었다.

"네 이름이 뭐냐?" 선생님께서 말씀하셨다.

"로즈. 본명은 로즈 스트로입니다." 푸른 머리의 소녀가 답했다. 그 소녀는 루션, 파닉스, 키키가 만난 적이 있는 사람이었다.

3년 전 겨울. 그들의 죄를 덮혀 씌운 소녀의 이름이 '로즈 스트로'였다. 루션은 더욱 불쾌한 느낌이 들었다.

"로즈. 성명을 물어본 게 아니란 말이다. 아무튼, 앞에 나와서 사이코메트리의 시범을 보이도록. 생각을 읽힐 사람은… 그래. 네가 좋겠구나. 거기 초록 머리 너 나와라…. 여기 사람들은 머리 색이 다 왜 저러는 거야."

선생님께선 루션을 지목했다.

루션은 투덜거리며 나갔다. 초록 머리가 한 명 더 있으면 좋겠다고 생각했지만, 아이들의 머리 색이 다양해도 초록 머리는 루션 밖에 없었다.

플로어 사람들의 머리 색이 다양한 이유는 다양한 설이 있지만 그 중 정설로 받아들여지는 것은 태초의 플로어에서 자리 잡은 사람들의 머리 색이 여러 가지였다는 설이 존재한다. 하지만 그 사람들도 머리 색이 왜 여러 가지였는지, 그것이 정설인지도 모르기에 진실은 아무도 모르는 것이었다.

…"내가 카운트를 세면 마법을 걸어라. 초록 머리 너는 마법을 걸기 시작하면 머릿속으로 단어 한 가지를 생각하고 있거라."

"3… 2… 1!"

"사이코메트리!" 로즈가 루션에게로 마법 지팡이를 꺼내 마법을 걸었다. 루션은 머릿속으로 '플로어'라는 단어를 생각해냈다.

"저 녀석은 '플로어'라는 단어를 생각했습니다." 로즈가 선생님께 말했다.

"맞나 초록 머리?" 선생님께서 루션에게 말했다.

"아닌데요." 루션은 괜히 심술이 나서 거짓말을 했다. 로즈가 감히 자신에게 '저 녀석'이라고 한 것과, 무엇보다 루션은 자신에게 마법이 걸렸다는 것에 속이 울렁거렸다.

"흠… 그렇다…. 둘 중 하나는 거짓말을 하고 있다. 내가 거짓말을 구별해주지." 선생님께서 마법 지팡이를 꺼내 들어 루션에게로 향했다.

"죄송해요. 제가 거짓말을 했어요!" 루션은 괜히 무서운 바람에 진실대로 고했다.

"딱히 마법을 걸 마음은 없었다. 넌 오늘 학교를 마치고 남아라." 루션은 짜증이 났다.

… 점심시간이다. 루션은 짜증 그 이상의 증오가 느껴졌다. '나한테만 그래 진짜.' 루션은 로즈를 불러세웠다.

"야! 루즈!" 로즈는 뒤도 돌아보지 않고 그대로 지나갔다.

"거기 파란 머리!" 루션은 안 들렸나 생각하며 더 크게 불렀다.

"내가 안 들려서 그러는지 아나 봐? 이름부터 똑바로

부르면 생각해주지." 로즈는 엄포를 뒀다.

"아이 정말…. 로즈 스트로!" 루션은 정말 크게 소리 질렀다.

"들려 이제! 왜 부른 거야?" 로즈가 말했다.

루션은 로즈의 얼굴로 주먹을 날렸다. 무모한 짓이었다. 이건 파닉스가 어릴 때도 안 하던 짓이었다.

"아야!"

"뭐 하는 짓이야! 파이어볼!" 로즈는 마법 지팡이를 꺼내 루션에게 파이어볼 주문을 외쳤다. 루션은 맞으면 죽는다는 것 정도는 알기에 피했다. 파이어볼은 멀리 날아가며 점점 소멸해 갔다.

"어쭈. 해보자는 거지?" 루션은 주머니 속에 있던 단검을 집었다.

"이런. 무식한 칼잡이 같으니!" 로즈도 반격의 의미로 마법 지팡이를 꺼내 들었다.

가장 황당했던 건 파닉스와 키키였다. 밥 먹고 길을 가다가 갑자기 절친한 친구의 싸움을 목격했다.

"아니 너네 뭐해!" 파닉스가 끼어들며 말했다.

"잠깐만 기다려 파닉스. 괜찮은 소식이 될 것만도 해." 키키가 목소리를 낮추고 말했다.

"이런. 넌 제정신이냐? 이 와중에도 일 생각을 하는 녀석 같으니." 파닉스가 잠깐 화를 내며 말했다.

"난 말리러 간다. 너도 끼려면 끼고." 파닉스가 잠시 싸우는 시늉을 하며 몸을 풀었다.

"그러면 나도 갈 수밖에." 키키가 따라가며 말했다.

펑!

로즈의 마법 지팡이와 루션의 단검이 맞붙으며 큰 소리가 났다.

"쟤넨 뭐야? 겁쟁이 같으니. 질 것 같으니 네가 불렀구나?" 로즈가 깔보며 말했다.

"허튼소리! 난 너랑 싸우는데 어떻게 불러?" 루션이 조금 더 심혈을 기울이며 싸움에 집중했다.

… 금세 구경하는 사람이 많아졌다. 하지만 판도가 뒤집혔다.

"초록 머리. 또 네 짓이냐? 안 봐도 네 짓이지. 넌 잘하면 퇴학이다. 그러게 왜 싸움을 걸고 그러냐?" 루션은 단검을 곧바로 선생님에게로 돌리고 싶었으나 참았다. 그리고 놀라운 일이 일어났다.

"아니에요. 제가 했어요. 선생님." 로즈가 말했다.

"로즈. 네가 했다고?" 선생님은 놀란 투로 말했다.

"네. 제가 시작했어요." 로즈가 말했다.

… 가까스로 루션은 살아남았다. 힘들게 얻은 기회를 발로 찰 뻔한 것을 로즈가 뛰어들어 막은 것이다.

"야…. 고맙다…." 루션이 힘들게 입을 열었다.

"고마워해야지!" 로즈는 젠체하며 말했다.

"됐고. 나를 왜 도와준 거야?" 루션은 궁금했다. 먼저 자신을 공격한 사람을 도와준 것에.

"됐어. 그러면 나 좀 도와줘라. 내 친구가 요즘에 외롭다고 계속 징징대는데, 괜찮은 남자애나 걔한테 소개해 줘라. 퇴학보단 낫잖아?" 로즈가 눈을 끔벅거리며 말했다.

"처음부터 그게 목적이었어. 그래. 퇴학보단 낫지. 걔 이름은 뭔데?" 루션이 물었다.

로즈가 말했다. "루루."

… 결국 그들의 만남은 성사되었다. 물론 파닉스와 키키도 같이 갔다.

별 얘기는 오고 가지 않았다. 한 가지 좋은 소식이라면 그들은 그 자리에서 팀 서바이벌 경기의 동료가 되었다는 것이다. 파닉스 특유의 능청스러운 말투로 설득에 성공한 것이다.

며칠 후 학교에서는 여러 가지의 공격 마법을 배웠다. 며칠 전 로즈가 루션에게 공격하려고 썼던 파이어볼 마법이 그 내용이었다.

"여기에 파이어볼 마법을 아주 잘 쓰는 아이가 있더군. 로즈 나와라." 선생님은 그 사건 이후로 로즈를 무시하는 태도를 보였다. 로즈도 선생님이 별로 마음에 안 들던 참이었기에 그냥 그러려니 했다.

하지만 그녀의 마음에 걸리는 것이 한 가지 있었다. 그녀와 루션, 파닉스, 키키의 반에 있는 '언틸' 때문이었다. 그는 굳이 사람들에게 시비를 걸고 다니지는 않았다. 그냥 수업 시간에도 가만히 엎드려 자는 모범생이지 못 할 뿐인 학생이었다. 그녀가 그를 신경 썼던 이유는 이것이다. '저주 마법'을 너무 많이 알고 있다는 것.

그녀는 언젠가 쉬는 시간에 그의 노트에 적혀 있던 수많은 마법 주문을 보게 되었다. 그러면 안 됐던 것이었지만 그녀는 그의 노트를 훔쳐봤다. 로즈도 알지 못한 마법들이 전부였지만 다행일지 불행일지 모두 설명이 자세히 적혀 있어서 더 이상 진실을 모른 체 할 순 없었다.

그녀는 그 뒤로 루션과 파닉스, 키키, 루루에게 이 사실을 말해 봤지만 돌아오는 것은 "걔 그래서 애들 시비 걸고 다니는 안킬로 같은 애들도 안 건들이잖아." 같은 답뿐이었다.

"로즈. 가만히 멀뚱멀뚱 서서 뭐 하는 거야! 얼른 나와!" 로즈는 그제야 자신이 선생님께 불렸다는 것이 기억났다. 로즈는 억지로 파이어볼 마법을 모두가 성공할 때까지 선생님 앞에서 파이어볼을 난사했다.

이튿날, 루션과 파닉스, 키키는 로즈와 루루를 집으로 초대했다. 루루는 신기해하며 집 전체를 둘러보고 있었다. 하지만, 로즈는 달랐다.

"이 녀석들. 더러워서 여기 못 있겠어. 손님을 모실 거면 청소라도 해야 할 거 아니야!" 로즈는 그들의 집을 보며 잔소리했다.

"로즈. 가끔 보면 넌 루션보다 심해. 조금 봐주고 넘어가면 되잖아! 너희 집은 얼마나 깨끗하다고 그래!" 파닉스가 억울해하며 말했다. 로즈는 '너희 집'이라는 말에 잠시 움찔했으나 말을 이어나갔다.

"조용히 해, 파닉스. 네가 우리 집을 언제 와 봤다고 그런 소리를 해?" 로즈가 싸늘하게 말했다.

"그런 의미는 아니었는데……." 파닉스가 시무룩했다.

"다들 그러지 말고, 내가 밥 해왔으니까 먹어! '율케죽'이야!" 루션은 직접 만든 율케죽을 건네며 말했다.

율케는 플로어에서 가장 흔한 동물이었다. 그만큼 값도 쌌다. 플로어 주민들은 율케를 구워도 먹고, 삶아도 먹고, 끓여서도 먹었다. 그런데도 율케는 영양도 갖춘 건강식이라 플로어 주민들이 안 먹을 이유가 없었다.

"율케죽이네. 율케죽은 먹어야지." 로즈가 말했다.

"율케죽? 나 율케죽 완전 좋아하는데!" 루루가 눈을 반짝거리며 말했다.

"잘 먹겠습니다!" 키키가 말했다.

… 밥을 먹고 난 후 로즈는 밖에 나가 키키의 조랑을 쓰다듬고 있었다. 가끔 뒷발에 얻어맞은 것 같지만.

"로즈! 들어와 봐! 할 말 있어. 너네도 빨리 오고!" 루션이 모두를 불렀다.

"다 왔지? 우리, 나흘 뒤부터 팀 서바이벌 경기 참가 인원 모집하는 거 알지? … 아 파닉스 가만히 있어. … 그래서 우리 팀 이름 좀 정하면 하는데…." 루션은 조심히 말했다.

"파닉스와 쫄다구들?" 파닉스가 말했다.

"입 다물어 파닉스." 루션이 말했다.

"좀 괜찮은 거 말이야. 다른 사람들 앞에서 보여줘도 전혀 부끄럽지 않은 거…. 조용히 해 파닉스." 파닉스는 옆에서 계속 '파닉스와 쫄다구들'이라고 말하고 있었다.

"이 학교를 씹어 먹어 버릴 자들?" 파닉스가 다시 한번 제안했다.

"그 입 다시 한번 그런 말을 하기 위해 연다면 오늘 밤 네 몸에 성한 곳이 없을 것이야." 루션이 협박했다.

"히이익!"

"알았어. 그러면 '루니즈키루'는 어때? 우리 애들 한 글자씩 따서 부르는 거지. 루션의 '루'. 파닉스를 귀엽게 부르면 '파니쓰'니까 '니'. 로즈의 '즈' 키키의 '키'.

루루의 '루'까지!"

"정녕 그게 최선이었냐?" 루션이 비꼬듯 말했다.

"나는 괜찮다고 생각했어." 키키가 말했다.

"거봐! 나 잘했지, 키키? 루션? 로즈? 루루?" 키키와 루루만 좋아하는 것 같긴 했다.

"휴…. 그래. 우리 팀 이름은 '루니즈키루'로 하자. 다 동의하지?" 루션이 어쩔 수 없다는 듯이 말했다.

"그래. 그러면 훈련 날짜와 장소를 정해야 해. 재능이 있는 녀석들을 이기려면 많은 훈련이 필요해."

"그건…. 그냥 학교 마치고 우리 집 뒤에서 하면 되는 거 아니야?" 파닉스가 말했다.

"오 뭔가 일리 있어." 루루가 말했다.

"그래. 그러지 뭐." 루션이 일어설 준비를 하며 말했다.

학교에서는 다소 따분한 일들만 있었다. 파닉스와 키키가 수업에 집중을 하나도 안 할 동안 루션과 로즈는 열심히 듣고 있었다. 눈이 반쯤 풀려 있긴 했어도.

그랬던 하루가 흥미진진 해졌다. 언틸의 저주 노트를 선생님이 발견한 것이다.

"이게 뭐지? 설명해라, 언틸." 선생님은 핏줄이 선 상태로 말했다.

"조용히 해. 시끄러운 건 싫어." 언틸이 반항적인 태도로 눈을 비비며 일어나서 말했다.

"이 녀석이! 이게 교장 선생님 귀에 들어간다면 너는 퇴학 그 이상의 벌을 받을 것이다!"

"그러든가. 알아서 해. 난 신경 안 쓸 거니까." 언틸이 피곤하다는 듯이 말했다.

"알아서 하라고 했다. … 파어웨이!" 언틸은 의자를 벗어나 멀리 날아갔다. 조금만 마법의 강도가 더 셌다면 창문을 깨고 떨어질 것이었다. 하지만 선생님은 그러지 않았다. 언틸을 살려준 것이다.

"크으윽…. 래비티에이크!" 그 순간 선생님만 중력이 뒤틀린 듯 교실 전체를 날아다니며 헤집고 다녔다. 잠시 후 언틸이 배를 잡고 웃으며 마법을 풀자 선생님이 말했다.

"네가 중력 마법을 어떻게 구사하는 것이냐! 중력 마법은 플로어 과정에서 배울 수 없는 것이다. 네 정체는 무엇이냐!"

"어쩌라고." 언틸은 소름 돋게 웃었다.

"다시 한번 묻겠다. 네 정체가 무엇이냐."

"부모님이 시계탑에서 간신 짓을 하다가 쫓겨났지. 우리 부모님 친구들은 너를 이 세상에서 지워 버릴 수도 있어. 죽고 싶냐?"

"버르장머리 없는 놈! 그것을 부모님이 자랑으로 떠벌리고 말하라고 했더냐! 정말 화나는군. 언틸. 너 나가라." 선생님은 정말 화난 듯이 말했다.

"나가라고 했다." 선생님은 경고 했다.

"내가 왜?" 언틸은 아직도 소름 돋게 웃고 있었다.

"후회할 것이다." 선생님은 다시 마법 지팡이를 들었다.

"디스암!" '디스암.(disarm)' 무장 해제라는 뜻이다. 선생님은 손에 든 마법 지팡이를 떨어뜨렸다.

"넌 저주 마법 이외에도 많은 마법을 알고 있군. 그걸 나쁜 곳에 쓰지 않았다면 좋았을 것인데…."

선생님은 허리를 굽혀 땅에 떨어진 지팡이를 주웠다.

"네가 나의 옳고 그름을 판단할 권리는 없어." 언틸은 웃음기를 없앤 채 선생님을 바라보았다. 아이들은 모두 본능적으로 뒤로 물러섰다.

"어떡해?" 파닉스가 걱정하며 말했다.

"지켜봐야지." 루션이 말했다.

"미쳤군. 정말 미쳤어." 선생님은 뒤로 잠시 물러선 뒤 마법 지팡이를 들었다.

"이건 정말 **미친 짓**이라고!" 선생님은 언틸에게 달려들었다.

"이제야 본성을 드러내는구먼." 언틸은 사납게 선생님을 쳐다봤다.

"본성? 과연 누가 나보다 이 상황에서 네가 하는 행동에 더 많이 참을 수 있었을까? 아무도 없겠지. 넌 나

44

를 만난 것을 다행으로 여겨라. 죽이진 않을 테니!"

"아웃컨트롤!" 선생님이 소리 치자 언틸은 미친 사람처럼 온몸을 마구 흔들었다. 마치 기린들이 싸움하는 모습과도 같았다.

"… 나중에 잠잠해지면 보건 선생님께 데려가라. 그분은 치료할 수 있을 거야. 너희들도 일찍 하교해라. 나는 이 일을 교장 선생님께 보고하겠어. … 교장 선생님?"

교장 선생님은 문을 열고 들어왔다.

"스티스 선생님. 멋진 마법이었습니다. 하지만 그 마법을 학생에게 쓴 것이라면 오늘 내내 내게 그 이유를 설명해야 할 것인데요?"

"이런 제길." 선생님은 눈을 지그시 감았다.

"…아니에요! 선생님께서는 잘못하시지 않았어요!" 그 순간 놀라운 일이 일어났다. 평소엔 그리 꼴 보기 싫다고 욕했던 선생님이었지만 뭔가 언틸 때문에 선생님이 해고되면 뭔가 억울할 것 같았다. 그렇기에 모두가 힘을 모았다.

"맞아요! 언틸 저 녀석이 진짜 나쁜 놈이에요. 쟤 노트 봐요!" 언틸 때문에 약 1시간 30분 정도의 실랑이가 일어난 것이다.

"그때가 진짜 완전 하이라이트였어. 선생님이 이성의

끈을 놓은 순간? 아웃컨트롤인지 뭔지 쓰고? 걔 이상하게 춤추는 게 진짜야." 학교를 마친 후 훈련을 위해 집으로 가던 와중에 파닉스가 루루에게 그 장면을 설명해주고 있었다.

"쓸데없는 소리 말고 그냥 와 제발." 루션이 말했다.

"그리고? 빨리 말해줘!" 루루가 재촉했다.

"야. 이러는데 말 안 할 수 있겠냐?" 파닉스는 루션의 말을 무시한 채 말을 이어나갔다.

"그리고 선생님이 다시 우리한테 완전 멋있게 말하고 나가려는데 교장 선생님이 우리 반에 온 거지. 그리고 약간 우리 선생님 해고될 거 같을 때 우리 반 애들이 딱 변호해주는 거야. …근데 왜 우리 힘들게 조랑 안 타고 걸어가는 거야?"

"너 같으면 애들 다섯 태우고 빠른 속도 내겠냐?" 루션이 한심하다는 듯 말했다.

집에 도착했다.

5. 졸음운전

"야 루션이 마법 지팡이 들고 밖으로 나오래." 파닉스는 여전히 집에서 누워 있는 키키, 로즈, 루루를 보고 말했다.

"아 나갈 거야. 잠깐만 기다려." 키키는 더 격하게 빈둥대며 말했다.

"빨리 나와! 안 나오면 너네…."

"지금 안 나가면 큰일 나겠는데."

"그래서 훈련 어떻게 할 건데?" 로즈가 물었다.

"음…. 일단 오늘은 검술만 사용해서 훈련해 볼 거야."

모두 검을 일제히 꺼내 들었다. 파닉스는 멋져 보이려 열심히 노력했으나, 바람이 너무 강해 머리가 흐트러져서 되려 우스꽝스러운 모습이 되었다.

"검은 우리가 잘 쓰긴 해. …근데 여기 사는 애 중에 검을 못 쓰는 애는 없는 거 같기도 하지만." 루션이 말했다.

"그건 맞아. 우리가 조금 특별하게 잘 쓴다는 정도?" 파닉스가 웃음을 감추지 못한 채 말했다.

"됐고, 일단 루루는 경기에서 후방 쪽에 있어야 해." 로즈가 말했다.

"왜?" 파닉스는 궁금했다. 말투가 우리는 뒤에 있을 테니 너네는 앞에서 위험하게 싸우라는 듯이 들렸기 때문이다.

"아니. 그게 아니라, 우리를 지원해 주는 사람이 있어야지 나가서 오래 싸울 거 아냐. 루루는 치유 마법에 특출난 재능을 보이거든."

"그럼 됐네. 그래도 훈련은 해야 해. 자기 몸 정도는 지킬 수 있어야지."

"그냥 말하고 싶어서. 그거엔 나도 동의해."

…훈련은 실패라고도 할 수 있었다. 장난을 치느라 모든 시간이 다 지나갔다. 아무렴 재밌었으니 됐다.

그리고 학교에서, 루션은 무언가를 발견했다. 본능적으로 친구들에게 밝히면 안 된다는 생각이 들었다. 그것은 시계탑에서 쓴다고 들었던 '전자 손목시계'였다.

누군가 잃어버렸을 수도 있다. 하지만 신경 쓸 필요 없었다. 이젠 루션의 것이다. 그것은 루션에게 딱 알맞았다.

루션은 꾀병을 부려 집으로 일찍 돌아왔다. 친구들이 걱정할 것 같았지만 루션은 발걸음을 재촉했다.

'좋아. 이것만 있으면.'

쓸데없는 물건이었다. 좋은 점은 시간을 빨리 알 수 있다는 정도.

루션도 자신이 왜 이러는지 몰랐다. 일개 시계일 뿐인데, 학교 수업도 뿌리칠 만큼 강한 충동에 이끌렸다.

루션은 집에 도착해 시계 디스플레이를 눌러봤다.

'암호를 말하시오.'

'졸음운전이라고 말해.…' 소름 끼치는 목소리가 귀에 울려 퍼졌다.

"졸음운전!" 시계가 작동하기 시작했다. 보잘것없는 시계일 뿐이다. 플로어에서는 못 볼 물건이었지만.

그 순간이었다. 루션은 어딘가 강력한 힘이 자신에게 들어오고 있다는 사실을 느꼈다.

"사이코키네시스!" 그 순간 강력한 염력의 힘이 솟구쳐 올라 집 안 가구들이 떠올랐다. 루션은 무엇보다 이것만 있다면 친구들과 팀 서바이벌 경기를 이길 수 있다는 생각이 들었다.

"루션. 몸 아픈 건 괜찮아?" 파닉스, 키키, 로즈, 루루가 집에 돌아오고 루션을 발견하자 파닉스가 물었다.

"응? 나 사실 몸 안 아팠어. 일단 훈련하게 나와. 왜 그랬는지 알려줄게." 루션은 주머니에 있는 졸음운전 시계를 꼭 쥐었다.

이번 훈련은 각자 잘하는 것을 위주로 개인 훈련했다. 오늘도 바람이 무척 강했다. 땅을 울리는 마법, 아마 5학년 과정에 나올 예정인 지진 마법을 로즈가 다섯 번째쯤 사용할 때 루션이 말했다.

"졸음운전!"

"졸음운전?" 루루가 말했다.

루션의 몸에 다시 불쾌하지만, 자기 몸에 강한 힘이 들어오는 것을 느꼈다.

"사이코키네시스!"

"사이코키네시스?" 루루가 다시 말했다.

"…으악!" 친구들이 모두 떠올랐다.

"어떻게 한 거야 루션! 염력 마법은 시계탑 사람들도 잘 못 쓰는 마법이라고!" 로즈가 말했다.

로즈는 잠시 생각에 빠졌다. 어릴 때부터 자신이 마법과 친숙해야 했던 이유를 떠올렸다……. 빛나는 황금과 금빛 도시들이 눈에 보였다……. 옆에는 잔뜩 치장한 중년의 여성과 자신 또래의 소녀가 보였다……. 그녀들은 자신과 매우 닮아 있었다……. 기억이 안 난다……. 그녀들은 로즈에게 매우 소중한 사람들이었다……. 하지만…….

"…로즈. 로즈!"

"응? 계속 훈련하자!"

"너 괜찮은 거 맞아? 분명 염력 때문은 아닌데……."

"뭔 일인데. 난 괜찮아!"

"분명 너 방금……. '**엄마**'라고 했는데……."

로즈는 머리가 깨질 듯이 아파졌다. 잊으면 안 되는 사람. 엄마였다. 중요한 사람. 그녀는 엄마다. 그럼 또래의 소녀는 누구였는가?

아무렴 중요하지 않다. 지금 내 옆에 엄마가 있는가? 나를 보살펴 주는가? 아니다. 루니즈키루는 모두 부모 없는 고아다. 그렇기에 서로가 이끌리고 만날 수밖에 없던 것이고, 서로가 서로에게 의지 되어 주는, 부모 같은 존재이다.

이튿날도, 그들은 루션, 파닉스, 키키의 집에 모여 훈련했다. 모두 마법이 많이 늘었다. 로즈와 루루는 검술도 배웠다.

이제 전략을 짜야 한다.

"그러면, 나랑 파닉스가 앞장서서 가는 거야. 키키랑 로즈는 양옆으로 퍼져서 다른 팀들을 몰 수 있도록 하고, 루루는 최대한 몸을 사리면서 나랑 파닉스가 다치면 빨리 치료해줘. 우리 작전은 여기서 끝!" 루션이 말한 후 로즈가 이어서 말했다.

"여기서 끝이 아니지! 그게 작전이면 지나가던 새끼

율케들도 작전을 세우겠다. 일단 우리는 조금 더 작전을 구체화할 필요가 있어, 루션! 네 졸음운전인가 뭔가 그거를 써서 다른 팀들의 선두를 기선제압 해버리는 거야. 그다음에 다른 팀들의 공격이 온다면…….”

“그건 내가 할 수도 있어! 나는 달리기 마법과 방어 마법을 연습했거든.” 키키가 말했다.

“그래! 잘했어, 키키. 그럼 키키가 앞장서는 거야. 루션과 키키가 앞에 서서 모두 끝장내버리는 거야! 나와 파닉스는 적들의 허리를 끊어 버리는 거지. 공격팀과 치유팀이 만나지 못하면 거기서 게임 끝. 루루! 너는 그냥 치유만 잘해 줘!”

“반대로 상대가 똑같은 전략을 쓰고 있을 수 있다는 생각해야 해. 너희 중에 치료할 수 있는 사람이 있어? 나 밖이잖아! 그거에 대한 대책도 마련해야 해.” 루루가 따지듯 흥분하며 말했다.

“진정해, 루루. 그래서 키키가 방어막 마법을 연습한 거야. 너한테 방어막이 씌워져 있을 때 우리가 상대를 공격하면 되는 거잖아?” 로즈가 차분하게 말했다.

그리고 적어도 4시간은 더 연습했다. 지나가는 어른들이 “이런 늦은 시간까지 연습하는 거야? 기특하네.”라고 하거나, 아니면 “시끄러워서 나 원 참. 멀리 가서 해라 이놈들아!” 하는 어른도 있었다. 상관없었다. 그들이 연습하는데 어른들이 보태준 건 하나도 없었다. 무슨 말을 하든 그들의 신경을 돌려 놓진 못했다. 아무런 대꾸조차 하지 않았다.

그렇다고 그들이 '어른들에게 싹수없이 행동하는 천하의 나쁜 놈'인 건 아니다. 어릴 때 부모에게 배워야 하는 걸 못 배운 것뿐이다. 그래서 학교에 도덕 수업이 있고 학교에서는 아주 기초부터 가르쳤다. 그들이 도덕 시간에 잠을 잔 것이 문제지.

이튿날, 드디어 대회 신청의 날이다. 아침부터 학교는 모두 대회에 대한 이야기로 들썩거렸다.

루니즈키루도 마찬가지였다. 아침부터 매우 설레 수업 내용을 하나도 기억하지 못하였다.(원래부터 그러는 것 같지만.)

대회 신청은 수업이 끝난 뒤인 방과후부터 신청받았다.

루션은 팀명을 쓰는 칸에 손을 부들거리며 '루니즈키루'라고 써넣었다.

"우린 이제 신청 끝난 거 맞지?" 루루가 말했다.

"루션이 우리 이름 까먹고 안 적은 것만 아니라면." 키키가 말했다.

"내가 설마 너희 이름을 까먹겠어?"

"설마가 사람 잡는다던데."

"됐어. 우린 이제 연습밖에 없는 거야." 로즈가 말했다.

그날도, 그다음 날도, 그다음 날도, 그들은 열심히 연습에만 집중했다.

"이제 연습도 질린다. 우리 이 정도면 다른 팀보다 훨씬 많이 한 거 아니야?" 파닉스가 따분해하며 말했다.

"그런 생각이 위험한 거야, 파닉스. 다른 팀들보다 2배, 3배는 열심히 해야 우리가 이길 수 있는 거라고." 로즈가 말했다.

"치…."

"자, 우리 이길 수 있어. 우리 연습한 데로 하면 적들은 다 아무것도 아냐. 루션, 준비됐어?"

"응, 로즈."

"파닉스, 준비됐어?"

"물론, 로즈!"

"키키, 준비됐어?"

"나는 이미 준비돼 있었지!"

"루루, 준비됐어?"

"응!"

"가자. 1등을 향해!"

6. 팀 서바이벌 경기

"졸음운전!" 루션이 시계에 대고 조용히 말했다. 속이 울렁거리며 힘이 들어오는 것을 느꼈다.

"팀 서바이벌 경기를 시작합니다."

"가자!"

그들은 앞으로 나아갔다. 무언가, 가슴이 뻥 뚫리는 것만 같은 기분이다.

"스피더 팀, 아웃."

그 이후 계속하여 수많은 팀이 아웃당하고 있었다. 루션은 심장이 미친 듯이 뛰었다. 한 팀을 이끌어야 할 대장이고, 자신의 선택 한 가지가 팀의 운명을 뒤바꾸는 일이었기 때문이었다.

"그냥 일단 튀어!"

"루션! 이건 우리 전략에 맞지 않아!"

"나도 알아. 일단 살고 봐야지!"

그들은 얕은 굴 안으로 숨어들었다. 숨을 가쁘게 몰아

쉬며,

그들의 위로 빠르게 뛰어가는 발소리가 들렸다. 그리
고 연달아 들리는 아웃을 알리는 소리와 함께.

"진정해. 이렇게 숨어있으면 우린 아무것도 못 해!"
루루가 말했다.

"그래. 결정했어." 루션이 비장하게 말했다.

"파인더 팀, 아웃."

"따라와!" 루션은 모두를 데리고 굴 밖으로 나왔다.

… 운이 안 좋았다. 그들의 눈앞엔, 최강의 팀이라 평
가받던, '추방자들'이 있던 것이다.

"으악!"

"튀어! 일단 튀고 생각해!" 루션이 말했다.

"루션! 저건 튀고 나서 생각할 정도가 아니라고!" 파
닉스가 추방자들이 쓴 마법을 가리키며 말했다.

"살인의 바람!" 추방자들의 트래이어가 말했다. 그 순
간 칼날보다 날카로운 바람이 불어왔다.

"쉴드!" 키키가 급하게 말했다. 분명 힘이 많이 빠진
상태로 마법을 사용하였으나 그 강도는 추방자들의 마
법을 막아내기에 충분했다.

"블랙홀!" 추방자들의 아이퍼가 당황한 기색을 띠며
마법을 사용하였다. 루니즈키루는 루루의 회복 마법으
로 겨우 버티고 있었다.

"스피드! 얘들아, 도망쳐!" 키키가 달리기 마법을 팀원들에게 사용하고 뛰기 시작했다.

"파이어페더!" 파닉스의 등에서 불붙은 날개가 돋아나고 있었다. 불붙은 날개는 공기에 불을 붙이며 빠르게 불붙은 공기를 적진으로 날리고 있었다.

그 순간, 분명 50미터 가까이 멀던 추방자들이 눈앞으로 다가왔다.

"꽤 강하네? 너희들." 추방자들의 대장인 프린서가 말했다.

루니즈키루는 겁에 질린 표정으로 눈치를 살피고 있었다.

"겁먹을 필욘 없어. 오랜만에 강한 녀석들을 만났거든. 이제 재미 붙일 참인데, 우리가 너희를 살려준다면 5개의 팀을 잡고 와. 그러면 우리는 기꺼이 스스로 자결해 줄 테다. 솔깃한 제안 아닌가?"

루션은 잠시 휘둘렸다. 당장이라도 받아들일 기세였다.

"아니? 우리는 거절할게. 우린, 스스로 힘으로 우승할 것이야." 로즈가 말했다.

"그 뜻은, 지금 여기서 탈락하시겠다 이거네?"

"공전의 풀!" 루션이 재빨리 알아차리곤 마법을 사용했다.

"그래. 이게 우리가 원하던 재미야."

"실컷 덤벼라. 사이코키네시스!"

프린서가 마법을 사용하자, 루션을 제외한 모두가 떠오르기 시작했다.

"신기해…. 사이코키네시스는 분명 사용하는 사람을 포함한 주변의 모든 사람을 하늘로 띄운다고 했는데…. 가끔 이렇게 안 뜨는 사람이 있단 말이야." 프린서가 의아한 눈으로 말했다.

"너 같이 말이야."

말이 떨어진 직후, 루션의 목이 조이는 느낌이 들었다.

"마지막으로, 이 마법을 사용하면 모두가 **즉사**하더라고? 나도 이게 정확히 무슨 주문인지는 잘 모르겠어." 프린서는 마법 지팡이를 노려보며 마법을 준비했다.

"시간의 흐름."

"루니즈키루 팀, 아웃."

그들은 단상에 2등으로 올랐다. 다른 학생들은 최고의 영광으로 여길 테지만, 그들은 마음이 편안치 않았다. 게임이 끝날 때까지 숨어있다가 나와서 만난 팀에게 지는 꼴이라니, 이게 진정한 2등이라 할 수 있겠는가?

하지만 이번 싸움으로 얻은 결과가 있다. '우린 그렇게까지 약하지 않다.'

시상식 이후 곧바로 진급 시험에 대해 알리는 선생님들의 목소리가 이어졌다.

"팀 서바이벌 경기에서 메달권에 들면 확정 진급이다.

너희 모두 축하한다. 너희들이 내 제자인 것이 자랑스럽다." 무뚝뚝하던 스티스 선생님께서 루션, 파닉스, 키키에게 말했다.

평소 자신들에게 화만 내던 스티스 선생님께서 그러는 것을 보니 화가 나기도 하였지만 확정 진급은 무엇보다 기쁜 일이었다.

하지만 그것보다, 로즈에겐 궁금한 것이 있었다. 꼭 물어봐야 하는 것이다. 추방자들에게 꼭 물어봐야 한다. **왜 로즈 가문에 내려오는 마법을 저들이 알고 있는가? 왜, 어떻게 시계탑 수준의 마법을 저들이 알고 있는가? 왜, 왜, 왜 때문인가? 왜?**

무작정 로즈는 그들을 따라갔다. 결과가 어떨지 알고 있어도, 물어봐야 했기 때문이다. 자신의 이름을 남겨준 로즈 가문을 알고 있는가? 내가 집으로 돌아갈 방법을 저들이 알고 있는가?

"응? 아까 그 2등 팀 아니야?" 프린서가 말했다.

"말해." 로즈가 독기에 가득 찬 눈으로 말했다.

"뭘?"

"말하라고."

"그니까 뭘!"

"너 로즈 가문에 대해 알고 있잖아. 로즈 가문에 대해 알고 있는 것 모두 말해라고!"

로즈는 파닉스가 전에 말해준 스티스 선생님이 썼던

마법을 기억하고 있었다.

"**아웃컨트롤!**" 로즈는 이성을 잃고 마구 춤추게 되는 그 마법을 썼다. 하지만, 아무 효과가 없었다.

"당당한 게 보기 좋아. 그 마법은 지금 너 정도의 상태에서 쓸 수 없어. 그리고 로즈 가문, 자세히는 나도 잘 몰라. 무례하게 굴지 말고 어서 가라."

"**으아악!**" 로즈는 그대로 뒤돌아 갔다.

"로즈 너 제정신이냐?" 파닉스가 입에 음식을 가득 넣은 체로 말했다.

"아니. 그땐 제정신이 아니었지. 우리 가문의 마법 하나 썼다고 그렇게 급발진하다니." 로즈가 말했다.

"근데 너 로즈 가문에 대해 많이 기억 나는 게 없다고 하지 않았어? 그 마법 하나는 어떻게 기억한 거야?" 루션이 말했다.

"잘 모르겠어. 그냥, 그 마법 하나만 내 머리에 따로 저장된 거 같아."

"됐어. 이 정도면 됐고, 다들 늦었으니까 각자 집 가서 자." 키키가 말했다.

"… 왜 안 가?"

"실은…. 그…." 루루가 말했지만 로즈도 눈치를 보고 있었다.

"월세가 많이 밀렸어…. 내가 방을 빼야할 거 같아

서.” 루루가 말했다.

“나도. 요즘에 우리 마을 경제가 좀 뭐랄까…. 멈춘 거 같아. 학교가 생긴 이후로.” 로즈가 말했다.

“뭔 소리야? 학교가 생긴 이후로 이 근처에 상점도 많이 생겼고, 사람들도 많아졌잖아?” 파닉스가 여전히 입에 음식을 많이 넣은 체로 말했다.

“그게…. 상점이 많아졌다는 건. 사람이 많아졌다는 거 잖아? 그러면 그 사람들이 묵을 곳이 어딨겠어. 집을 찾아야지. 사람들이 많아진 이후로 나랑 루루 말고도 집을 잃은 사람들이 많아. 월세를 높이고, 돈이 적은 사 람은 내보낸 다음에 돈 많은 사람이 와서 월세를 뜯어 먹을 생각인 거지.” 로즈가 조심스레 말했다.

“음…. 솔직히 말해서 이해는 못 했고…. … 우리 집 에서 기생한다는 얘기지?” 루션이 말했다.

“기생이라니!”

“너무해.”

“아무튼 맞잖아?”

“사실이라서 부정을 못 하겠다.” 루루가 시무룩한 표 정으로 말했다.

“왜 시무룩해? 누가 여기서 못 살게 해준대?”

“진짜? 여기서 살아도 되는 거야?” 루루가 환한 얼굴 로 말했다.

“그래. 여긴 우리가 지은 집이라 월세 안 내도 돼.”

루션이 말했다.

"아니 누구 맘대로, 아니, 아니, 좀 내 말 좀 들어 봐! 아니. 얘들아! 돈 누가 벌어 오는데!" 키키가 다급하게 말했다.

"그러면 지금 비는 창고 방 있거든? 거기서 너네 둘이서 자." 루션이 말하자 루루와 로즈는 환호했다.

"아니 얘들아?" 키키가 애원했다.

"얘들아 식비는? 수도세는? 얘들아?" 키키가 거의 우는 듯 말했다.

"포기해 키키. 이미 늦었어." 파닉스는 혀를 내밀어 놀리곤 방으로 들어갔다.

내일부터는 방학이다. 그 말뜻은 키키가 다시 일을 하러 나가야 한다는 것이다. 키키는 벌써 머리가 지끈했다.

"키키 너 왜 그래?" 키키가 대낮부터 책상에 앉아 울고 있었다.

청천벽력 같은 소식이다. 거의 10년 가까이 소식 배달부를 해온 키키가 해고 통보를 받은 것이다. 사건의 전말은 이렇다. 아침에 키키가 출근하자마자 푸퍼크 아저씨는 울고 있었다. 키키는 아저씨께 무슨 일이냐 물었고 아저씨는 키키의 책상으로 가보라 하였다. 하지만, 그 위에는 해고통지서가 있었다. 키키가 소식 배달부를 처음 시작할 때부터 알고 지내고 항상 챙겨줬던 푸퍼크 아저씨는 키키를 껴안고 울었다.

사장은 키키에게 지금 소식 배달부를 원하는 사람이 많아 출근 빈도가 적은 키키를 해고할 수밖에 없다고 답했다. 시장경제가 안정화된다면 키키를 다시 부를 수도 있다고도 말했다.

그래도, 그래도 너무했다. 10년간 일한 직원을 하루 만에 해고했다. 신입사원을 위해 과장급 직원을 잘랐다. 키키가 일하던 곳의 다른 직원들도 많이 해고당했다. 사장조차 돈이 없으니 신입사원들에게 돈을 주기 위해 자신의 입장에서 무필요한 직원을 잘랐다. 그게 끝이다.

로즈와 루루도 원래 일하던 곳에서 해고당했다. 그들은 이제 방학 동안 풀만 뜯어 먹게 생겼다.

7. 프린서, 트래이어, 펜스, 아이퍼

방학이 끝났다. 그들은 배고픔에 굶주려 있었다. 그나마 다행인 점은 키키가 다시 소식 배달부가 된 것이다. 내심 조랑 없이 등교할 생각에 진절머리 난 파닉스는 안도의 한숨을 쉬었다.

3학년이 되자 루션, 로즈가 같은 반이 되고, 파닉스, 키키, 루루는 모두 반이 떨어졌다.

여전히 따분하던 어느 날의 점심시간, 추방자들은 루니즈키루를 불렀다. 로즈는 경계했지만, '그런 게 알 게 뭐야!' 하며 뛰어가는 파닉스를 무시할 수 없었다.

추방자들은 루니즈키루를 어둡고 음산한 곳으로 이끌었다.

"도착했다."

"여기가 어디지? 우리를 어떻게 할 속셈이지?" 로즈

가 경계를 멈추지 않으며 말했다.

"진정해. 우리는 너희를 해치려는 것이 아니니까 말이야." 추방자들의 펜스가 그들에게 말했다.

"그러면 우리를 이런 곳까지 왜 부른 거야?"

"아, 그게 말이야. 너희 중에 손목시계 가지고 있는 사람 있어?" 프린서가 물었다.

"응! 나 가지고 있는데?" 루션이 손목을 들어 손목시계를 보여주며 말했다.

"아…. 그래서 그런 거였군…."

"졸음운전!" 프린서가 외쳤다.

"그걸 어떻게…?" 루니즈키루는 매우 놀란 기색이었다.

"아. 하하! 너 그러면 그거 쓰는 방법을 알고 있어?"

"네가 말한 그것을 말하면, 그냥 힘이 들어올 뿐이야."

"루션! 경계도 안 하고 다 알려주면 어떡해?" 로즈가 다급하게 말했다.

"괜찮아. 쟤가 보여준 건 빙산의 일각에 불과하거든." 프린서가 능글맞게 말했다.

"졸음운전. 예언을 보여줘."

"그게 뭐…?"

"시계탑으로 올라온 9명의 인간은, 시계탑의 파멸을 도래하고 혁명을 일으킬지니. 그들 중 가장 강한 자는 오만에 심취해 자신의 종말을 믿지 못할 것이다. 그와 가장 친했던 자는 질투에 휩싸여 가장 위에 올라 있고 싶어 모두를 배신하노라. 모두를 위한 선한 마음을 품고 있던 자는 결국 종말을 맞을 지어라. 계속하여 밤을 보는 자는 끝내 아침을 보지 못할지어다. 그들을 이끄는 자는 살아남아 아침보다 더 밝은 곳을 향해 갈 것이며, 불을 내뿜는 새는 마지막으로 노래하며 눈물 한 방울 흘리며 가네. 아름다운 수녀는 자신의 진실을 믿지 못한 채 진실을 좇네. 항상 희생하고 달렸던 말은 더 달리기 위해 하늘 위로 올라가노라. 이끄는 자를 사모했던 자는 자신의 마음을 말하고 편히 잠들지어다. … 이상입니다."

"잘했어. 졸음운전." 프린서가 말했다.

"그러니까…. 이게 뭔…?" 루션을 포함한 모두가 못 볼 것을 본 듯 숨을 헐떡이고 있었다.

"나중에, 그러니까 아주 다음에…. 전부 알 수 있을 거야. 잘 기억해 놔. 그리고, 우리는 언제나 너희를 지킬 것이니까, 우리를 늘 경계하지만은 않아 줘. 이래도 싫다면, 우린 물러설게." 프린서는 손을 등 뒤로 하며 검지 손가락과 중지 손가락을 꼬았다.

"그래. 대신, 우리를 지킨다는 행동을 보여준다면 우리는 너네와 함께 할 거야." 로즈가 말했다.

"그러지 뭐."

"점심시간이 끝나가네. 얼른 가자."

그들은. 언틸이 수풀에 숨어 보고 있었다는 것은 꿈에
도 모를 것이다.

"그래…. 그런 거지? 쟤네는 알고 있는 거지? 두고
봐. 너희 모두. 손목시계가 어디서 왔는지 알면 까무러
칠걸?"

그 뒤로도 추방자들은 자주 그곳으로 불러 졸음운전
시계의 사용 방법에 대해 알려주었다.

"오? 이러면 된 거야?" 루션이 말했다.

"응. 이제 사용할 수 있는 마법의 범위가 더 넓어졌
어." 프린서가 말했다.

"아니 근데 형들은 이걸 다 어떻게 아는 거야?" 파닉
스가 말했다.

"알고 싶어?" 프린서가 장난스럽게 말했다.

"헛짓거리하지 말고 얼른 말해." 로즈가 싸늘하게 말
했다.

"넌 왜 아직도 그러냐. 풀어."

"난 아직도 못 믿음직스럽다고. 그건 존중해 줘야 하
는 거 아니야?" 로즈가 울분을 토해내며 말했다.

"그래. 마음을 열 때까지 조금만 기다려주자. 그래서.
내가 저런 걸 어떻게 아는지 알고 싶다고?"

"응, 응!"

"사실 우리는 어릴 때 시계탑에서 추방당했어." 프린
서가 쓸쓸하게 말했다.

"맞아. 그때 우리가 8살이었나?" 펜스가 말했다.

"… 뭐라고? 시계탑에서 추방?" 로즈가 말했다.

"시계탑에서 추방당할 정도라면 중죄 정도는 저질렀어 야 할 텐데?"

"그래. 중죄를 저질렀어. 우리 말고 우리 부모님들이."

"뭔… 죄를 저질렀길래?" 파닉스가 말했다.

"시계탑의 4층에 대해 조사했어. 너희들도 이 정도는 알잖아? 시계탑은 3층까지라는 거."

"어? 이상하다. 시계탑은 4층까지라고 많이 알려지지 않았어?" 루션이 의아해하며 물었다.

"그래. 그런데 시계탑 정부에선 그걸 묻어가고 있는 거야. 모두가 시계탑 4층이 있는 걸 아는 데도. 그걸 깊 이 파고든 게 우리 부모님이야. 우리 부모님들은 사형 당하고 우린 플로어로 내려왔지만 난 부끄럽게 생각하 지 않아. 너네도 그렇지?"

"맞아." 트래이어가 말했다.

"물론이야." 펜스가 수긍했다.

"맞지." 아이퍼가 말했다.

"내가 장님이 된 것도 그놈들 때문이야. 내가 우리 부 모님들을 사형시키는 것을 목격하자 내 눈에 화학약품 을 뿌려 장님으로 만들어 버렸어. 그때 얘네들이 날 많 이 도와줬었지." 아이퍼가 눈물을 흘리며 말했다.

"다들…. 슬픈 과걸 갖고 있었구나. 난 너무. 자기중심

68

적이었어. 나만 불행하고, 나만 보호받아야 한다고 생각했어. 다들 이렇게 불행한 과거를 가지고 있었는데, 미안해. 내가 너무… 나쁘게 굴었던 것 같아." 로즈가 말했다.

"우린 그렇게 나쁘게 말했다고 생각은 안 했어." 프린서가 뜬금없어 해하며 말했다.

"이 자식들이?"

"하! 내가 해냈구나!" 프린서가 장난스럽게 말했다.

"… 다 확인했어. 프린서. 꼭 후회하게 해주마."

그리고 다음 날. 그다음 날도 추방자들과 루니즈키루는 점심시간에 그들의 아지트에서 만났다.

그들은 많이 친해진 상태였기에 자주 농담도 주고 받았다.

"아니 근데 추방자들 너무 이름 촌스럽게 지은 거 같아." 파닉스가 말했다.

"그럼 루니즈키루는 괜찮다고 생각하는 건가?" 펜스가 반격했다.

"내가 안 지었어. 파닉스가 지음." 루션이 한발 물러서며 말했다.

"그…. 이런 말 지금 해도 될지 모르겠는데." 프린서가 조심스럽게 입을 열었다.

"아니 그걸 벌써 얘기한다고?" 트래이어가 말했다.

"뭐 어쩌겠어? … 우리는 시계탑을 무너뜨릴 계획을 세우고 있어." 프린서가 비장하게 말했다.

"뭐? 시계탑을 어떤 수로 무너뜨린다는 거야!" 로즈가 화를 냈다.

"우리도 멍청하게 있지만은 않아!" 펜스도 화를 냈다.

"진정해. 너희도 알다시피 아이퍼는 그림자 마법의 대가잖아? 우리가 발견한 마법 중 하나가 '그림자 폭탄'이라는 마법이야. 이 마법으로 만든 폭탄은 살상력도 크면서 남들에게 눈에 띄지 않을 수 있어. 이걸 시계탑 전체에 설치만 한다면? 시계탑 폭파는 식은 죽 먹기지."

"꽤 전략을 잘 세운 건 맞는데…. 왜 시계탑을 무너뜨리고 싶은 거야?" 로즈가 물었다.

"그야 너도 모르겠어? 시계탑은 우리를 억압하고 있잖아! 이런 거지 같은 계급사회를 만든 것도 시계탑 사람들이고 우리 부모님을 죽인 것도 시계탑이야. 너희는 이 작전에 동참하기 싫으면 안 해도 돼. 우리는 꼭 성공하고야 말 거야."

"그래. 우리는 그 계획에 동참하지 않을 생각이야. 그래도, 기대는 해도 좋아. 우리도 이 거지 같은 세상을 바꾸고 싶거든."

"그래 좋아. 점심시간이 끝나 가네. 얼른 교실로 가."

"형이야말로."

집에서는 로즈의 마법 수업. 학교에서는 지루한 마법 이론 수업이 있었기에 정말 지옥 같았다. 그들은 팀 서바이벌 경기만 기다리며 확정 진급이나 하면 좋겠다는 생각뿐 이었다.

그나저나. 이번 루션과 로즈의 담임 선생님은 꽤 착하셨지만 조금 나이가 많으시고 재미가 없으신 선생님이셨다. 루션은 하루 종일 점심시간만을 기다리며 하염없이 잠만 잤다.

잠만 자며 3달을 다 보냈다. 그 어려운 것을 루션은 해냈다. 이렇게까지 수업을 듣지 않기 쉽지 않은 데도 루션은 해냈다. 루션은, 그냥 놀러 학교에 다녔다.

3달이 지났으니 당연히 팀 서바이벌 경기도 있을 예정이었다. 그들은 이제 숨어서 버티는 것은 하지 말기로 하였다. 꽤 비겁하게 보였기 때문이다.

그들은 팀 서바이벌 경기에 신청하고 이번 경기는 약간 아쉽게 3등을 하였다. 그래도 확정 진급은 예정된 것이었다.

방학식 날. 루니즈키루와 추방자들은 서로 인사를 하고 1달 후에 보기를 약속했다. 키키는 다시 일하러 갈 생각에 맥이 풀렸고, 루루는 새로 사귄 친구들이랑 놀려고 집에 들어올 생각이 없었다.

파닉스는 꼭두새벽부터 일어나 새로운 총을 만든다고

개발에만 몰두했다. 단풍마저 저물고 추워질 겨울의 저녁 일이었다.

8. 학교를 지키다

방학이 끝났다. 몹시 추운 겨울의 일이었다. 그들은 이제 4학년이 되어 있었고, 추방자들과 루션은 같은 반이 되었다. 나머지 루니즈키루들도 모두 같은 반이었다.

하지만, 어두운 뒷골목에서는 거래가 활발하게 이루어지고 있었다.

"제 정보는 확실하다니까요? 왜 자꾸 의심하고 그래, 높으신 분이." 언틸이 작게 속삭였다.

"음…. 내 말은, 네 정보가 의심스럽다는 것이 아닌, 플로어 사람들이 두렵다는 것이다." 언틸과 거래하는 남자가 두려운 얼굴로 말했다.

"하, 지금 플로어 놈들이 두렵다고 하신 건가요? 이번 거래로 당신들이 얼마나 하찮은 기업인지 알게 됐네요. 플로어 놈들은 시계탑 사람들과 비교도 안 됩니다. 정 플로어 놈들이 무서우시다면 저는 물러나겠습니다."

"잠깐만! 왜 그래…. 난 플로어 놈들이 무섭다고 한

게 아니야. 후폭풍이 무섭단 말이야. 우리가 플로어를 맘대로 공격하면 시계탑 정부에서 압박이 들어온단 말이야. 더군다나 플로어에 학교도 여러 군데 생기는 와중에 그 학교 출신 중에 나중에 우릴 공격할 놈들도 있는 거 아니겠어?" 거래자가 말했다.

"아. 그 부분은 이미 저도 알고 시계탑 정부 고위급 인사에게 연락드렸습니다. 그분께서는 총리님께 전달해 드리신다고는 하셨습니다. 하지만 제가 걱정되는 부분은, 시계탑의 왕자님께서 행방불명인 상황에….."

"그렇다면 바로 진행하겠다. 총리님께 허락까지 맡은 상황에 무서울 것이 뭐가 있겠나?"

"네 그렇죠! 이번 작전이 무사히 성공한다면 저를 시계탑 3층으로 올려주시는 것 맞겠죠?"

"그렇지. 하지만 이번 작전이 실패한다면 넌 우리 직원들에게 끔살이다."

그 시각 학생들은 아무것도 모르고 그저 평화롭게 지내고 있었다.

오랜만에 수업을 듣고 있던 루션은 무심히 창밖을 보고 있었다. 그러다 신기한 것을 발견했다. '저게 뭐지?' 루션이 발견한 것은 비처럼 하늘에서 내리지만, 물방울이 내리는 것이 아닌 하얀 결정이 내리고 있었다. 그렇다. 루션은 눈을 본 적이 없었기에 창밖에 있는 것이 눈인지 몰랐던 것이다.

"선생님. 창밖에 저거 뭐예요?" 루션이 물었다.

"보자, 저건…. 설마 눈인가?" 선생님은 긴가민가한 표정이었다.

"눈…. 그래! 눈이다. 32년 만에 보는 눈이구나! 얘들아, 밖에 나가서 놀렴!"

아름다웠다. 이 다섯 글자로 표현할 수 있다. 아름답다. 학생들은 눈을 뭉쳐 눈싸움했다.

"선생님. 선생님도 애들 데리고 나오셨네요?"

"그렇죠. 눈은 아무래도 거의 30년 만이니까요. 근데 눈이 원래 따뜻했나요?"

"네? 눈은 영하에서부터 오는 거니 따뜻하진… 않죠."

"만져보세요. …이거 눈이 아닌데요?"

그 순간 그들의 머리 위로 거대한 군함이 날아들었다. 분명히 시계탑에서 보낸 것이었다. 당연하다. 플로어에선 저런 걸 만들 수 없다.

"저게 뭐죠?"

"이럴 시간이 없습니다. 당장 학생들 대피 시키세요!"

루니즈키루도 그 군함을 발견하였다. 군함은 찢어질 듯한 소리를 내며 천천히 바닥으로 내려왔다. 그리고, 시계탑 사람들이 군함에서 내리기 시작했다.

"쏴!"

그 순간 음속의 속도를 돌파하는 총알들이 날아왔다. 그야말로 아비규환이었고, 학생들 여럿이 목숨을 잃었다.

"아웃컨트롤!"

"디스암!"

선생님들이 반격했지만 소용없었다. 선생님들은 모두 상처를 입었고 학생들이 반격했으나 소용없었다.

"이건 우리가 견딜 수준이 아니야."

"그래도, 친구들을 위해 버텨줄 수는 있잖아!" 루션은 애원했다.

"저것들을 봐. 무기까지 들고 있는데 방어막 마법 이 외엔 할 수 있는 게 없어. 게다가, 이 방어막은 곧 깨진다고." 프린서가 힘겨워하며 말했다.

"친구들을 위해 우리가 할 수 있는 게 아무것도 없다고…?"

"쓸데없는 소리 말고 얼른 도망가!"

패배다. 완전히 패배다. 싸울 틈도 없이 패배다. 선생님 중에 8할은 크게 상처 입거나 사망하였다. 살아남은 선생님들도 완전히 살아있는 상태가 아니었다.

교장 선생님마저 전투 중 사망하여 교감 선생님께서 학생들에게 말하였다.

"학생 여러분. 이런 상황으로 여러분께 찾아뵙게 되어

사죄의 말씀 드립니다. 오늘 오전 시계탑에서 플로어를 침공하였고, 이 근처 모든 행정 구역은 파괴되었습니다. 살아남으신 학생 여러분들은 안전한 곳으로 귀가하시길 긴급히 전하는 바입니다."

교감 선생님도 알고 있었겠지만, 학생들의 대부분은 귀가할 수 있는 안전한 곳이 없었다. 모두 학교가 가장 안전한 곳이라 여기고 있었다.

"학교 측에서도 재건을 위해 노력할 바를 밝히며 이상 마칩니다. 질문 있으신가요?"

"그 재건에 학생들도 참여해도 되나요?" 어떤 노란 머리를 한 한 학생이 물었다.

"뭐라고요?" 교감 선생님은 심히 놀란 표정이었다.

"재건에 학생들도 참여해도 되냐고요."

"학교를 지키는 학생들이라…. 좋군요. 재건에 힘쓸 학생들은 내일부터 학교로 오길 바랍니다. 재건에 도움을 주는 학생들에게는 확정 진급이 있을 예정입니다."

확정 진급에 주변이 소란스러웠다. 아마 대부분 학생은 재건을 하기로 이미 마음먹었을 것이다.

"여기로 벽돌 날라!"

"여긴 시멘트가 없어."

"바닥에 페인트 바르는 거 도와줄 사람?"

아침부터 학생들은 재건에 힘쓰고 있었다. 친구들끼리 공사하며, 새참하며, 놀라운 광경일 수밖에 없었다.

"어이 파씨! 여기 수박 잡수셔."

"거기 루씨! 아니, 루루 말고, 여기 율케 볶음밥이여. 맛있게 먹어."

학생들은 학교를 지키고 있었다. 누구보다 욕하고 싫어했던 학교지만 학교가 없어진다면 말이 달라졌다. 그들은 누구보다 먼저 나서 학교를 되찾는데 힘쓸 것이다.

그때 누구보다 애가 타는 사람이 한 명 있었다. 바로 언틸이었다. 언틸은 얼마 전 거래가 이루어졌던 곳으로 달려가 초조하게 그 사람을 기다렸다.

"야 언틸! 분명 성공할 거라며. 내가 진즉에 알아봤어야 했어. 이런 하찮은 플로어 같은 걸 공격 한다고 우리 기업이 성장한다고 하는 걸 내가 믿어주다니."

"죄송합니다. 그래도 시계는워치가 학교 사업에 뛰어든 건 맞습니다. 이렇게 하면 시계는워치가 포기할 줄 알았습니다."

"이런 애를 우리가 왜 책임져야 하는데. 너무 유치하잖아? 남이 가는 길 앞에 돌덩이 하나 놓는다고 걔가 옆으로 돌아서 못 갈 것 같아? 걔네 지금 기사로 우리 망치려고 소식 내고 있다니까? 맞아, 아니야?"

"정말 죄송합니다."

"죄송하면 이번 일을 만회할 수 있어? 우리 대주주님들도 우리 기업에서 손 떼고 있다고. 경쟁자 하나 없애는 게 그리 어려운 일이야? 내가 큰 자리 내줬잖아. 그러면 그 자리에 맞는 성과를 내야 할 거 아니야!"

"그리고 너희 학생 중에 손목시계 가지고 있는 애 있다고 들었는데? 그게 얼마나 중요한 건 줄 알고 마음대로 넘겨줘? 내가 그거 잃어버리라고 너한테 맡겼나? 위험할 때 그거로 살아남으라고 준 거잖아. 내 말 틀려?"

"정말 죄송합니다."

"넌 죄송하다는 거 밖에 말을 못 하나? 몇 달 뒤에 우리가 암살자 보낼 거니까 조용히 이승 뜰 준비나 해. 그 정도는 미리 예상하고 있었겠지?"

"제발 한 번만 더 기회를…!"

"입 닫고 가만히 있어. 이미 정한 거니까."

"아 제발…."

"그래! 제게 좋은 수가 있습니다. 한 번만 들어주십쇼!"

"듣기 싫다. 이미 폐기하기로 한 쓰레기의 말은 들을 필요가 없단 말이다."

"그럼 제가. 저의 계획에 성공했을 땐 절 살려주실 겁니까?"

"고위층에서 압박이 들어오면 살려줄 예정이다. 하지만 그럴 일은 없을 것이니 허튼짓하지 말도록."

"솔깃하지 않아도. 저는 할 겁니다."

"졸음운전 손목시계로 그자를 유인할 겁니다. 그자는 이미 저희 쪽에서도 유명한 추방자들 있잖습니까? 걔네랑 친해서 제 편으로 만들면 정보 넘기기에 수월할 겁니다."

"허튼 행동이다. 가만히 있도록."

그 뒤로 재건 공사는 계속됐다. 학생 모두의 힘이 있었기에 2달 정도면 원래의 모습을 되찾을 수 있었다.

2달 동안 그들은 학교에서 살다시피 했다. 할 일이 없으면 학교에 와서 공사를 하고, 심심하면 학교에 와서 공사를 했다.

생각보다 많은 사람이 재건에 힘써 공사는 예정보다 3주 정도 일찍 끝났다.

"아니 근데 학교 지원해 준 시계탑 회사는 왜 재건 공사 안 도와주냐?" 파닉스가 벽돌을 나르며 말했다.

"그쪽은 또 그쪽대로 바쁘겠지. 쓸데없는 소리 말고 빨리하자." 루션도 벽돌을 빠르게 날랐다.

"여기만 다 채우면 끝이다! 다시 학교로 가자!"

"힘내! 힘내라 힘!"

"거의 다 됐어! 이제 다시 학교 다닐 수 있는 거야!"

학교 재건이 끝났다. 이어서 교감 선생님의 말씀이 이

어졌다.

"학생 여러분 덕분에 우리 학교가 다시 세워졌습니다. 정말 고맙다는 말씀드리며 1주일 후부터 다시 학교 다닐 수 있을 겁니다. 감사합니다."

"우리가 학교를 지켰어. 우리가 지킨 거야!"

그 뒤로 학교에서는 선생님들을 뽑는 과정을 거쳤다. 학교를 짓는 데 도움을 준 시계탑의 회사 시계는와치는 학생들에게 사과했다.

교감 선생님은 교장 선생님이 되어 교감 자리엔 스티스 선생님이 서게 되었다.

1주일 후 선생님을 모두 모으고 학교는 다시 정상 수업에 들어갔다. 점심시간마다 은밀한 모임도 계속됐다.

"근데 시계탑에서 우리를 왜 공격한 걸까?"

"마땅한 이유는 없어. 현재 상황으로 봤을 땐 한 기업의 일방적인 공격 같아."

"엥? 한 기업이 우리 학교를 왜 공격해? 시계탑 정부에서 학교 사업 추진한 거 아니야?"

"우릴 공격한 기업은 학교를 건설한 기업이 마땅치 않았나 보지. 시계탑엔 왕까지 없는 상황이니."

"나도 그 소식 들었어. 지금 왕이 행방불명 상태라며?"

"그러니까 시계탑이 이렇게 돌아가지. 이제 이야기는 그만하고 반으로 돌아가자."

수풀에 숨어있던 언틸은 독기에 가득 차 있었다.

"꼭 내가 살아남는다고. 프린서. 곧 네 정체가 모두에게 알려지면 세상은 너에게 뭐라 그럴까?"

"뭐라고?" 아이퍼는 모두 듣고 있었다.

"여기 누가 있었는데?" 아이퍼는 속삭인 사람을 필사적으로 찾고 있었다.

'쟤는 장님이야. 소리만 내지 않는다면 잡히지 않을 거라고.'

언틸은 아이퍼에게 잡히지 않으려 천천히 소리를 내지 않고 걸었다.

"거기 누구야? 내 말 들려? 프린서! 너야?" 아이퍼는 수풀을 헤집고 다녔다.

언틸은 가까스로 위험에서 벗어났다.

그 뒤로 별일 없었다. 파닉스가 '파닉스 바주카 베타 ver.2'를 만들어 집을 모조리 불태워 버릴 뻔한 것 말고는 아무 일도 없었단 뜻이다.

학년이 올라갈수록 공부할 내용은 어려워지는데 루션과 파닉스와 키키는 들을 생각이 없었다. 아니, 노력은 했다. 내용이 귀에 들어오지 않을 뿐이었다.

"너희 정말 너무해!" 로즈가 참다 참다 소리쳤다.

"뭐가?" 파닉스는 정말 모르겠다는 듯 물었다.

"학교에선 들으라는 수업은 안 듣고, 집에 와서 내가 가르쳐 주려면 셋이서 장난만 치고 있고!"

"이럴 거면 나 수업 안 해. 너네끼리 알아서 살아라고!"

"미안해, 로즈. 그럴 의도는 없었는데, 진짜 수업 열심히 들을게. 미안, 로즈."

그날 이후로 집안은 냉전 상태로 돌입했다. 밥 먹을 때도 아무 말 섞지 않고 빨리 먹은 뒤 각자의 방으로 들어갔다.

그들은 화해하지 않은 채 방학을 맞이했다. 키키가 일하러 나가면 파닉스는 발명품을 만들고 루션은 장을 보러 나간 뒤, 로즈와 루루가 친구들을 만나러 나갈 뿐이었다.

키키는 정말 이 상황이 싫었다. '왜 돈은 내가 버는데 자기들이 우리보고 나가라 하지?'

어느덧 봄이 찾아오고 있다. 추웠던 겨울 아팠던 기억은 아물고 행복해야 할 시간인데 그들은 새로운 상처를 들고 싸웠다.

루션은 어느 때보다 이상한 기분이 들었다. 자신에게 화를 낸 건 로즈지만, 파닉스, 키키, 루루에게도 짜증이

났다. 그냥 다 화나고 말도 하기 싫었다. 그때 졸음운전 손목시계에 알림음이 울렸다.

"띠-롱."

'뭐지?'

'많이 힘들지? 학교로 나와봐. 너에게 선물이 있어. - 언틸."

평소라면 똥 밟았다며 짜증 낼 루션이었지만 언틸을 만나고 싶었다. 자신을 생각하는 게 언틸 뿐이라는 것이 의아했지만 그냥 나갔다. 친하지도 않은 언틸이지만 그냥 나갔다. 졸음운전 손목시계를 어떻게 알고 있는지, 그것도 상관없다. 그냥 나갔다.

"왔네?" 언틸은 가식적인 웃음을 지었다.

"왜 불렀어?" 루션은 쌀쌀하게 언틸을 대했다.

"왜 그래. 난 너를 걱정하는 거야."

"나한테 붙어. 솔직히 걔들 짜증 나지? 나한테 오면 불만 하나 없는 행복한 생활할 거야."

분명 설득력이 하나 없는 언틸의 말 한마디지만 따르고 싶었다.

그날의 루션은, 친구들을 배신하기를 택했다.

9. 배신, 그리고 마지막 학년

그들은 5학년이 되었다.

"그게 말이야? 루션이 우릴 배신했다니?" 프린서는 다급하게 물었다.

"그게 문제야. 아침에 일어나니 루션 책상에 '언틸을 만날 거야.'라고만 쓰여 있었어." 로즈가 슬프게 말했다.

"이번에 루션이랑 같은 반인 사람 없어?"

"응, 없어. 그래서 더 큰 일이야."

"와, 진짜 안 되는데."

일단 그들은 점심시간에 차례대로 루션을 찾아가서 설득해 보기로 하였다.

하지만 그 계획은 큰 오산이었다. 루션은 점심시간이 시작되자마자 언틸을 따라 어딘가로 갔다. 이대로라면 집에도 들어오지 않을 것이 뻔했다.

"누구 언틸이랑 친한 사람 없어?"

"나야 친하겠냐. 근데 더 큰 일인건 이거야. 언틸은 시계탑에서 유명한 정치인의 아들이야." 프린서가 말했다.

"언틸은 스스로 간신의 아들이라 했는데." 파닉스가 말해줬다.

"아무튼, 어릴 때부터 시계탑에서 살아 수준 높은 마법들을 많이 알고 있어."

"그게 저주라는 게 문제지." 로즈가 한숨을 푹 내쉬었다.

그 시각 루션은 언틸과 함께 스산한 숲속에 도착했다.

"여기서부턴 시계탑 정부의 감시를 받는 곳이야. 조심해." 언틸이 천천히 이동하며 루션에게 말해주었다.

"여기가 뭔데 시계탑 정부한테까지 감시를 받아?"

"들켜선 안 되는 공간이거든. 이 길로 쭉 가면 저주를 보관하는 도서관이 있어. 그 저주들이 세상에 퍼트려지지 않게 보관하는 거야."

"근데 넌 어떻게 알고 있는 거야?"

"말했잖아. 우리 부모님은 시계탑의 정치인이자 간신이라고."

"아."

그 뒤로 말없이 걷기만 하였다. 여기서 말을 더한다면

진짜 죽을 것 같았기 때문이다.

머리가 세 개 달린 늑대가 쫓아온다던가, 불에 활활 타는 화살이 머리 위로 날아간다던가, 거대한 돌덩이가 등 뒤로 굴러오는 등 수 많은 함정을 거쳐 가야 했다.

얼마쯤 걸었을까? 그들의 눈앞엔 거대한 도서관이 보였다.

"저곳이야. 저기 안에 들어간 게 적발되면 심하면 사형이야." 언틸이 경고했다.

"그런데 들어가도 되는 거야?" 루션은 걱정했다.

"아, 이 근처에 최근 10년간 보초는 없었어. 안심해도 돼." 언틸은 루션을 안심시켜 주었다.

"근데 여긴 왜 온 거야?"

"네 몸을 지킬 정도의 저주는 알고 있어야 하잖아?"

"듣고 보니 그런 거 같아."

루션은 도서관으로 들어갔다. 그 안엔 정말 듣도 보도 못한 끔찍한 저주들이 모여있었다.

루션은 그 저주를 천천히 익히며 시간을 보냈다. 어두워질 때쯤 그들은 다시 학교로 돌아가 언틸의 집으로 향했다.

언틸의 집은 매우 어두웠다. 집안에도 저주 공책이 수 가지 있었다.

그 뒤로 3주쯤 지났다. 루션은 나쁜 짓을 하는 데 익숙해졌고 언틸의 집을 제집처럼 드나들었다.

그리고 대망의 팀 서바이벌 경기 시즌이 다가왔다.

루션은 적어도 루니즈키루 정도는 이기고 싶었다. 루션 없는 루션 팀이라니, 완전 멍청한 팀이었다.

"우리도 팀 이름을 정해야 해. 설마 저 멍청한 러니즈키루에 갈 생각은 없겠지?" 언틸이 물었다.

"당연하지. 팀 이름은…. 간단하게 '킬러' 정도로 하자."

"좋은데? 내가 킬러로 팀 신청하고 올게."

저주를 많이 익힌 그들이었기에 대회는 누가 봐도 식은 죽 먹기였다.

대회 날이 되자, 루션 없는 루니즈키루는 몹시 화가 나 있었다.

"하! 결국 언틸 자식이랑 대회 할 거라 이거지? 두고 봐. 누가 이기는지 보자고." 로즈는 눈에서 불이 뿜어 나오는 것 같았다.

"그래도, 뭔가 수상하지 않아? 갑자기 루션이 언틸한테 붙다니, 뭔가, 음모가 있어." 파닉스는 루션도 이유가 있을 거라고 하였다.

"그래. 그건 나중에 밝혀지겠지."

"가자."

대회가 시작되었다. 루션과 언틸은 저주를 퍼부으며 상대방을 무찌르기 시작했다.

"콘세제로!"

루션이 주문을 사용하자 상대는 그대로 10미터가량 날아갔다. 싸울 새도 없이 그들은 탈락해버리고 말았다.

"어이, 루션! 오래간만이네." 추방자들과 킬러가 만나는 상황이었다.

"트래이어, 시작해!"

"살인의 바람."

그 순간 바람을 찢는, 칼날보다 날카로운 바람이 불었다.

"우리도 질 수 없어! 그림자 쉴더!"

루션이 주문을 사용하자 추방자들은 그림자의 힘의 의해 주문을 사용할 수 없게 되었다.

"언틸! 끝내버려!" 루션이 언틸을 재촉했다.

"콘세제로."

추방자들은 날아가진 않았으나 큰 상처를 입었다. 그리고, 루니즈키루가 그런 추방자들을 발견했다.

"펜스! 프린서, 트래이어! 아이퍼까지, 다들 왜 그래!" 파닉스는 눈물을 흘리고 있었다.

"쓰레기! 배신자! 넌 우리를 배신했어, 이 쓰레기야!" 파닉스는 주문을 루션에게 퍼부었다.

"콘세제로!" 루션은 그들에게 주문을 다시 한 번 날렸다.

"크헉…." 모두 상처를 크게 입고 쓰러져 있었다.

"루션, 정말…. 우리를 버린 거야…?" 파닉스는 피를

토하며 물었다.

루션은 어릴 적 파닉스와 키키의 추억이 떠올랐다.

"뭐해 루션! 빨리 끝내버려!" 언틸이 재촉했다.

루션은 파닉스와 키키와 함께 어른들게 혼나던 것이 기억났다.

"루션! 끝내기 싫으면 내가 하겠어!"

루션은 주문을 사용할 준비를 했다.

"루션! 지팡이를 왜 내 쪽으로 돌리는 거야! 하지 마! 졸음운전, 졸음운전!"

"아, 이게 문제였군." 루션은 졸음운전 손목시계를 뒤로 던졌다.

"이게 문제였어. 처음부터 이걸 가지고 오면 안 됐어. 네가 준비한 거였군. 날 처음부터 세뇌하기 위해. 내 말이 틀렸나?"

"잠깐만, 내 말을 들어 봐. 그게 지금 얼마짜린 줄 알기나 하고 던진 거야?"

"저따위 물건이 얼만진 중요하지 않아. 친구들과 우정은, 값으로도 매길 수 없거든."

"세뇌가 왜 풀린 거지? 내 계획은 완벽했는데…!"

"잘 가라. 콘세제로!"

"끄아악…!"

"휴…. 콘세제로."

루션은 자신의 머리에 대고 주문을 외쳤다.

"킬러 팀, 아웃."

그 일이 있던 뒤, 루션은 친구들과의 관계를 회복했다. 그리고 언틸은.

"그래서, 많은 정보를 얻었나?"

"죄송합니다. 세뇌가 중간에 풀려버려 계획이 실패로 돌아가 버렸습니다."

"그게 뭔 뜻인지는 너도 잘 알겠지?"

"…"

"예 알겠습니다."

언틸은 죽음을 예고 당했음에도 당당한 표정이었다.

"무슨 꿍꿍이라도 있나?"

"아닙니다. 저는 언제든지 죽음을 맞이할 수 있습니다."

그들은 이번에도 팀 서바이벌 경기에서 우승하여 확정 진급을 예정 받았다.

"아, 괜히 언틸만 도와준 꼴이네."

"그러게, 누가 세뇌당하래?" 파닉스가 비꼬듯 말했다.

"내가 그러고 싶어서 그런 게 아니잖아." 루션은 속상한 듯 말했다.

"그나저나 언틸은 어디 갔지? 요즘에 학교에서도 안 보이던데." 루션은 주위를 두리번거렸다.

"그딴 애 신경 쓸 게 뭐야? 곧 있으면 방학이야. 이제 또 더운 여름이 찾아오고 있고,"

그들은 12살의 여름에 입학하여 벌써 마지막 학년이 다가오고 있었다. 이번 학년만 끝낸다면 그들은 그토록 고대하던 시계탑으로 향하는 것이다. 그리고….

"프린서!" 루션이 프린서를 불러세웠다.

"왜?"

"우리, 결정했어."

"뭐를?"

"시계탑 폭발 작전 있잖아. 우리도 같이할 거야."

"갑자기? 너희 안 한다며?"

"시계탑 녀석들은, 봐줄 수 없겠어."

방학이 다가왔다. 언틸 사건 이후로 루니즈키루와 추방자들의 사이는 더욱 돈독해졌다.

"언틸 걔는 진짜 언젠가 한 번 호되게 당해 봐야 해." 로즈가 화를 내며 말했다.

방학에도 루니즈키루와 추방자들의 모임은 계속되었다. 루니즈키루가 시계탑 폭발 작전에 가세했기 때문에 모임은 계속되어야 했다.

"오늘은 그림자 폭탄에 대해 자세히 말해줄게." 프린

서는 숨을 크게 들이쉬었다.

"그림자 폭탄에 대해선 이미 다 말한 거 아녔어? 더 말할 게 뭐 있다고 그러는 거야?" 키키는 그들이 얼마나 많은 비밀을 품고 있는지 순간 상상되어 불안해졌다.

"아, 큰 건 아니고 간단한 거야. 그림자 폭탄의 사용법 말이야."

"그림자 폭탄은 사용자의 마음가짐에 따라 살상력이 크게 달라져. 사용자가 누군가를 완전히 없애버리고 싶은 마음일 때는 살상력이나 범위가 넓어지기 마련이고, 그냥 장난삼아 할 때는 콩알 탄 수준이지."

"이만 그만하자. 다들 방학 잘 보내." 펜스가 자리에서 일어섰다.

"왜? 나는 더 말하고 싶은데?" 루니즈키루는 눈치 못 챘지만, 추방자들은 알고 있었다. 그들의 뒤를 밟고 있는 자가 있다는 것을.

"하하. 그래. 이만 가자고. 농담 재밌었다. 하하!"

"엥? 농담이라고? 그게 갑자기 뭔….“

루션은 파닉스의 입을 틀어막았다. 그리고 뛰었다. 미행하는 자가 모든 일을 들었다면 큰일이다. 아무것도 모르는 어린아이라면 천만다행이겠지만, 지금은 누가 봐도 그런 상황이 아니었다. 언틸 쪽 사람일 것이다.

"뛰어.“ 프린서는 조용히 경고했다.

"제기랄! 이번에도 아무것도 건지지 못했어. 그나마 다행인 건, 그림자 폭탄에 대해 들었다는 거야. 그림자 폭탄을 어디다 사용하려는 거지? 제발, 제발 미끼를 물어!" 언틸은 처절히 애원했다.

"그만하지, 언틸?"

"언제 오셨습니까?"

"그게 문제가 아닐 텐데. 이미 너의 처형은 결정된 일이다. 무엇 때문에 그리 노력하는 거지? 설마 지푸라기라도 잡으려는 건가? 미안하지만 넌 잡을 지푸라기조차 없는 상황이다. 조용히 집에서 기다려라."

"으윽…."

방학의 마지막 날이다. 이번 밤만 지나면 그들은 마지막 학년인 6학년으로 갈 것이다. 그 뜻은 석 달 뒤 그들이 시계탑으로 간다는 것이다.

"6학년이다. 이제 시계탑으로 가는 거라고!"

10. 그림자로 물든 졸업

"드디어 6학년이다!" 파닉스는 일어나자마자 기쁨에 소리쳤다.

그들은 조랑을 타고 학교로 달려갔다. 교장 선생님의 말씀이 이어졌다.

"이번 학기엔 곧 시계탑으로 가는 졸업반인 6학년들이 있을 겁니다. 맞습니까? 네, 그렇습니다. 플로어에서 시계탑으로 가는 분들이 우리 학교 학생인 것이 자랑스럽습니다. 이만 저는 여기서 물러나겠습니다. 모두 축하드립니다!"

교장 선생님의 말씀이 끝나자 우레와 같은 함성이 쏟아졌다.

"드디어 졸업이라니! 너무 기쁘다. 근데 루션, 우리가 원래 시계탑으로 가려고 했던 이유는 따로 있었지 않나?" 파닉스가 물었다.

"맞아. 우린 원래 시계탑으로 가면 행복하게 사려고

했었어. 그런데, 뭔가 일이 꼬인 것 같은 기분이야. 뭐 아무렴 어때? 목숨보다 소중한 친구들을 만났는데." 루션은 무심하게 말했다.

파닉스는 감동했다. 루션이 성장한 것에. 누구보다 모자라고, 누구보다 바보 같던 루션이었지만 성장하고 있었다. 누구에겐 사소한 차이일 수 있으나 적어도 글도 모르던 루션은 아니었다. 그것이, 성장한 것이라 할 수 있다.

"야 루션, 같이 가!"

"인간은 참 멍청한 피조물이군. 곧 닥칠 재앙도 모른 체 다른 생명과 교감하며 살아가다니. 정말이지, 불행한 생물이야."

"언틸, 언제까지 혼잣말하며 사색에 빠질 생각인가? 정신병이라도 걸린 건가?"

"하하! 아닙니다."

"웃다니. 완전히 미쳐버렸군."

"하하하하하하! 우히히 우히히히! 모조리 부숴 버릴 테다. 허무하게 돌아가도록!"

갈수록 어려워지는 공식에, 외울 수 없는 마법 주문에 학생들은 머리가 터져나갔다. 루션도 최대한 수업을 들으려 하였지만 뇌는 수업을 거부했다.

"그냥 졸업이나 하고 싶다!" 루션이 크게 소리쳤다.

"요즘에 수업은 잘 듣고 있어? 두 학기 동안 같은 반인 아는 애가 없어서 큰일이네." 로즈가 근심 가득한 표정으로 말했다.

"에이, 걱정하지 마! 걱정은 파닉스한테 해야 하지."

모두 돌멩이로 장난치고 있던 파닉스를 바라봤다.

"루션 너!"

"뭐, 맞잖아?"

"하. 신님께선 너무나도 무심하도다. 저에게 이런 불행을 내리다니. 전, 저에게 주어진 일을 해내는 게 옳은 것일까요? 아니면, 살아남을 사람들에게 희생해야 하는 건가요?"

"언틸, 이젠 대화도 못 하겠군. 완전히 미쳐버렸으니 말이야."

얼마 뒤, 소식이 들려왔다. 졸업생들은 팀 서바이벌 경기에 참여하지 못한다는 것이다. 루니즈키루는 내심 기대하고 있었으나 아쉬움을 감출 수 없었다.

미행하는 자를 발견한 뒤로 모임도 자주 하지 못했다. 중요한 얘기를 하다가 그에게 들킨다면 시계탑으로 갈 수도 없을 것 같았기 때문이다.

일반마법 수업 시간에 선생님께서 내주신 숙제 중 루션은 도저히 한 문제를 풀 수 없어 로즈에게 도움을 청했다.

'고문 저주마법을 무력화할 수 있는 약초의 올바른 배합 방법을 쓰시오.'

"로즈. 난 이게 진짜 헷갈려. 다른 건 다 풀었거든? 난 약초학은 진짜 못하겠더라."

"에휴. 약초학은 쉬워. 수선화, 백합, 난초 정도면 백 개도 넘는 물약을 만들 수 있단 말이야!"

"아 맞다, 기억났어! 고마워!"

"진짜 어떻게 하려고 저러지?" 로즈는 어이없다는 듯 말했다.

그렇게 지긋지긋한 학교생활의 마지막까지 일주일 남은 날이었다. 그 말인즉슨, 곧 팀 서바이벌 경기가 열린다는 것이다.

그들은 팀 서바이벌 경기에 할 수 있는 건 구경밖에 없었으나 학교에서 유일하게 마음에 들었던 것 중 하나인 팀 서바이벌 경기라도 끝까지 보고 가야겠다고 생각했다.

"아, 역시 우리가 해야 진짜 재밌는 경기인데!" 파닉스는 안타까운 듯 소리쳤다.

팀 서바이벌 경기는 4학년으로만 이루어진 '차일드'

팀이 우승하였다.

"뭐래, 무서워서 숨어만 있다가 나온 팀이?" 로즈가 비꼬았다.

"아니, 그건 루션이 한 거잖아!" 파닉스는 억울하다는 표정으로 말했다.

"아무튼, 일주일 뒤에 우리는 이 학교에 없을 거야. 드디어 졸업이라니. 시계탑은 어떤 곳일까?" 루루는 시계탑에서의 자기 모습을 상상했다.

상상 속에서 루루는 빛나는 장식을 걸 수 있는 곳이면 어디든 걸고, 달 수 있는 곳이면 어디든 걸어 놓았다. 그야말로 아름다운 광경이었다.

"그러게, 시계탑은 한 번도 상상해 본 적이 없는데." 루션은 골똘히 자신이 시계탑에 사는 모습을 상상해 보았다.

상상 속에서 루션은 수많은 부하를 거닐고 있었다. 그 부하들은 모두 자신을 따르고 있었고, 하고 싶은 것은 모두 할 수 있는 권력을 가지고 있었다.

"시계탑이라고 다를 거 없어. 다 사람 사는 곳인데." 그렇게 말하면서도 머릿속 간간이 떠오르는 시계탑을 그리워하는 트래이어였다.

"그렇게 말한다면 거짓말이지. 거기선 먹고 싶은 음식은 모두 있다고. 물론 직접 돈으로 사 먹어야 하지만." 펜스도 시계탑을 그리워하고 있었다.

"아이퍼. 넌 시계탑이 안 그리워?" 프린서가 무심하게 물었다.

"난, 내 눈을 잃었다는 것만으로 그곳을 증오하고 있어. 내가 시계탑으로 올라가려는 건 온전히 폭파를 위해서야." 아이퍼는 고개를 돌려 프린서를 똑바로 바라보았다.

"그러는 넌? 넌 시계탑이 안 그리워?"

"난 시계탑이 그립지 않아. 시계탑에 도착하기만 한다면…."

"제발 도와주시옵소서. 전 이러는 것이 맞을까요? 보고 있으시다면 저를 한 번만 도와주세요. 그리고, 저를 용서하소서."

언틸을 지켜보던 사람은 이제 없다. 언틸을 위한 사람은 이제 없다. 언틸은, 모두에게 버림받았다. 단 한 순간을 바라보며.

…

"루션! 이리로 와! 곧 졸업식이 시작한다고!"

"알았어! 프린서, 빨리 가자."

"응, 너네도 빨리 와!"

학교의 첫 졸업생이 생기는 순간이었다. 이들은 곧 있

으면 플로어에서 시계탑으로 올라가게 되는 사람들이었다.

"하하, 전 여러분들이 자랑스럽습니다. 꼭 훌륭한 사람이 되어서 플로어를 빛내주십시오!"

졸업생들은 강당에 모여 한바탕 떠들어 대고 있었다. 단 한 사람, 언틸만 빼놓고.

'제발, 제발 내가 그들의 파티를 망칠 수 있게 해주세요. 난, 난, 성공이 아닌, 복수를 바랄 뿐이에요.'

언틸은 속으로 생각했다. 자기의 잘못을 알면서도, 누군가에 대한 복수만을 꿈꾸고 있었다.

"쾅!"

그 순간이었다. 언틸이 타고 있던 차는 학교 강당 한편에 부딪혔다. 부딪힌 차체는 굉음을 내며 폭발하였고, 강당은 아비규환이 되었다.

학교 전체는 비명으로 휩싸였고, 선생님들은 자동차 운전자의 신원을 파악하기 시작했다.

"언틸?"

"그래, 내가 언틸이다."

언틸은 기괴한 모습을 하고 있었다. 분명, 자신이 만든 약을 자기 몸에 주입했을 것이다. 마법 약이 아니라면, 언틸의 몸에 난 촉수들을 설명할 수 없을 것이다.

"직접 제조한 물약을 사용한다면 시계탑 정부에서 어떤 처벌을 내릴지는 알고 있으면서 하는 건가?"

"그따위 법 알 게 뭐야? 시계탑 정부는 날 버렸어. 그들은 날 실험용 쥐로만 생각했다고!"

"너에게 무슨 일이 있었던지는 우리가 감히 헤아릴 수 없다. 잠시만 차분하게 생각을…."

언틸이 쏜 촉수에 선생님들이 목숨을 잃었다.

"항상 나에게만 이런 식이지. 나를 생각하지 않고 항상 이해만을 바라는 것. 난 그게 역겹다고."

학생들은 도망치고 선생님들은 언틸과 싸우다가 목숨을 잃을 뿐이었다.

"프린서, 프린서 어디 있어!" 언틸은 프린서를 애타게 불렀다.

"내가 왜 너랑 관련 있는지는 모르겠으나, 싸우자는 건가?"

그 순간 언틸의 촉수는 프린서를 향해 날아갔다.

"프린서!"

"나 이 정도론 죽지 않아. 애들아! 전투를 준비해! 크리스탈업!"

아름다운 수정이 프린서를 감쌌다.

"하. 보석 가지고 무얼 하겠다는 것인가. 참 어리석도다! …크헉!"

아름다운 수정들은 그대로 언틸을 관통하며 프린서에게로 돌아왔다.

"더-윈더!" 트래이어는 주문을 사용했다. 강한 바람에 언틸은 몸을 움직일 수 없었다.

"우리도 가자!" 루션은 루니즈키루를 데리고 강당 구석으로 향했다.

"콘세제로!"

팅!

푸슉-

펑!

타다다다-

"이제 거의 끝나가. 조금만 더 힘내!"

언틸은 몸을 제대로 가눌 수 없는 상태였다. 피가 온몸을 타고 흐르고 있었고, 펼쳐 놓은 촉수는 모조리 잘린 상태였다.

"해치웠나?" 프린서가 말했다. 하지만 파닉스는 알고 있었다.

"그런 말 하면 죽었던 악당들이 더 세져서 돌아오던데?"

파닉스가 말을 끝내자마자 언틸은 촉수가 있던 자리에 검은색 날개가 살을 찢으며 돋아났다. 그리고 몸이 두 배는 거대해졌다. 그들은 직감적으로 저건 싸워서 이길 수 없다는 걸 알아차렸다.

"우리한테 원하는 게 뭐야?" 프린서가 외쳤다.

"원하는 것? 프린서, 너. 너만을 위해 내가 싸우는 것 아니겠나?"

"그게 뭔 소리야." 모두 이해할 수 없었다. 언틸은 왜 갑자기 프린서를 원하는가?

"더 이상 숨기지 말라고. 그리고, 우리한테 와서 모든 걸 넘겨!"

"말이 안 통하는구나. 어쩔 수 없어. 모두 상처를 입어도 싸우는 수밖에!" 모두 다시 마법 지팡이를 손에 들었다.

···

···

···

모두가 다쳤다. 강당은 피투성이로 가득 찼고, 루니즈 키루와 추방자들은 몸에 성한 곳이 없었다.

"모두 괜찮습니까?" 그 순간 싸움할 때 동안 숨어있던 어른들이 나타났다.

학생들도 나타났다. 루션은 순간 증오가 치밀어 올랐지만 참을 수밖에 없었다. 몸을 움직일 힘조차 없었기 때문이다.

"보건 선생님? 저기 저 용감한 학생들을 치료해 주십시오."

그들은 치료를 받은 후 서서히 회복하고 있었다.

"괜찮습니까, 학생들? 많이 다친 것 아닙니까?"

"아니요. 괜찮아요. 그나저나. 언틸은···?"

"언틸 학생은 조금 전 시계탑 정부 관리가 데려갔습

니다. 이제 위험한 것 없어요."

그들은 피비린내가 나는 강당에서 졸업식을 진행할 수밖에 없었다. 그림자로 물든 졸업을 말이다.

"학생 여러분, 졸업을 진심으로 축하드리며, 시계탑으로 올라가는 것을 경축합니다. 곧 포탈이 열릴 예정입니다. 이 포탈을 타고 만나는 생명체와 대화 후 시계탑 1층에 도착하시면 그때부턴 완전히 시계탑의 일원이 되는 겁니다."

분명 환호 소리가 들려야 하지만 달랐다. 학생들은 피비린내에 고통을 호소했다. 그리고, 몇 시간 전까지 웃고 놀던 친구를 잃은 학생도 있기 때문이었다.

"네. 1반부터 차례대로 나와주세요."

그들은 천천히 앞으로 갔다. 졸업장을 받고, 포탈로 일렬로 줄을 서 들어갔다.

"이따가 보자." 로즈가 루니즈키루와 추방자들에게 말했다.

"그래. 학교 다니느라 수고했어." 프린서가 다정하게 얘기해줬다.

"근데 우리가 살던 집은 어떻게 되는 거야?" 파닉스가 물었다.

"나도 잘 모르지. 나중에, 아주 나중에 쓸 필요가 있을 거야. 내 차례네. 이따가 봐." 루션이 앞으로 가며 친구들에게 인사했다.

"응, 나도 이만 가야겠어."

루션은 심장이 빠르게 뛰는 것이 느껴졌다.

"용감한 학생이군요. 졸업을 축하합니다. 오른쪽에 포탈로 들어가세요."

루션은 크게 심호흡했다. 그리고, 발을 뗐다. 한 걸음, 두 걸음, 포탈 속으로 몸이 빨려 들어가는 것이 느껴졌다.

"시계탑인가?" 루션은 주변을 두리번거렸다.

"시계탑의 경비원. 이누비스입니다. 간단한 설문조사 있겠습니다."

11. 빛, 그리고 이누비스

"뭐라고? 이노비수?" 루션이 다시 물었다.

"시계탑의 경비원. 이누비스입니다. 간단한 설문조사 있겠습니다."

이누비스는 허공에 다양한 질문들이 쓰여 있는 화면을 띄웠다. 루션은 당연히 플로어에서 보지 못한 것이라 신기해하였다.

"오늘따라 일이 바쁘군. 플로어에 무슨 일이 있습니까?" 이누비스가 물었다.

"아, 오늘 플로어 학교에서 졸업하는 날이거든." 루션은 이누비스를 살펴봤다. 분명 개를 닮은 얼굴이었다. 하지만 체격은 인간과 비슷하고 키는 이 미터가 조금 넘을 것 같았다. 이누비스가 넓은 주둥이로 루션에게 물었다.

"그렇습니까? 설문조사가 준비됐습니다. 시작하겠습니다. 플로어 거주, 맞습니까?"

"맞…았지. 이젠 시계탑에서 살 거야."

"알겠습니다. 13세, 맞습니까?"

"맞아."

"남성, 이름은 루션. 맞습니까?"

"맞아."

"확인되었습니다. 이제부터 당신은, 당신의 아이디 카드를 항상 지니고 다녀야 하며, 이제부터 당신은 완전한 시계탑의 주민임을 증명합니다."

루션은 감격했다. 드디어 시계탑의 주민이 되다니!

"제가 문을 열고 정확히 열한 발자국 움직일 때면 조금 불친절한 빛이 나타날 겁니다. 그냥 걔 말은 잘 따라주시기만 하면 됩니다. 안녕히 가십시오."

무채색의 방에서 문이 열리더니 황금빛으로 가득한 시계탑이 보이기 시작했다. 황홀 그 자체였다. 루션은 일단 걸어보았다. 이누비스가 뭐라고 하였는지는 이제 기억나지도 않았다.

그 순간, 환한 빛이 눈 앞을 가렸다.

"안녕하세요."

듣기 싫은 고장 난 기계 같은 소리를 내는 물체였다. 일명, 이누비스의 말대로라면 이것이, '빛' 일 것이다.

"저는 시계탑의 관리자. 빛입니다. 아이디 카드를 제출해 주세요."

루션은 아이디 카드를 빛에게 보여주었다.

"확인되었습니다. 루션님."

"그래. 내가 이제 무얼 하면 돼?"

"시계탑은 처음 올라온 분에게 무료 숙식 서비스를 제공해 드리고 있습니다. 시계탑으로 처음 올라온 후 1년 이내에 시계탑 3층까지 올라가신다면 평생 무료 숙식 서비스를 제공해 드리고 있습니다."

"그래. 알겠어. 근데, 네 목소리 너무 듣기 싫은데 이럴 땐 어떻게 해야 해?" 루션은 괜히 이런 말을 했나 자신을 자책했다.

"네. 죄송합니다. 이런 목소리는 어떠신가요?" 빛의 목소리는 고장 난 기계 같은 소리에서 신성한 목소리로 변했다.

"그래. 이게 너한테 딱 맞는 목소리 같네."

"네, 감사합니다. 루션 님의 방으로 이동하겠습니다. 다른 분들과 합방하고 싶으시다면 저에게 말해 주시면 됩니다. 물론 그 사람과 같이요."

"응 알았어." 루션은 생각보다 느린 빛의 속도에 실망했다.

"좀 더 빨리 가면 안 될까?"

"죄송합니다. 이 정도면 될까요?" 빛은 일반 사람이 걷는 정도로 걸었다.

"그래. 이 정도면 됐다." 루션은 만족했다.

"도착했습니다. 들어가 주세요."

"앞으로 루션님께서 사실 방입니다. 1년 이내에 2층으로 올라가지 못하신다면 직접 돈을 벌어 집을 구하셔야 합니다. 저를 부르고 싶으실 땐 '빛'이라고만 외쳐 주시면 됩니다." 빛은 그대로 말하고 어딘가로 날아갔다.

"하…. 우리 애들 어디 있지?"

삼십 분 정도 후 루니즈키루와 추방자들은 모두 다시 만났다.

"아, 나 진짜 이누비스 생긴 거 때문에 웃을 뻔했어, 정말." 파닉스가 웃음을 감추지 못한 채 말했다.

"그것보다, 난 이곳의 분위기가 너무 싫어. 너무 빛나고, 모두 플로어를 하찮게 보는 듯한 말들이." 아이퍼가 머리를 부여잡고 말했다.

"아이퍼, 너 빛은 구분할 수 있어?" 로즈가 놀란 채 물었다.

"응, 눈이 기능 못 할 정도로 다친 건 아니야." 아이퍼는 머리카락을 들어 눈을 보여줬다.

"우리 일단 빛을 불러서 합방부터 하자. …빛?"

"네? 부르셨습니까?"

"우리 9명 모두 방을 합쳐줘."

"네, 알겠습니다. 인원수에 맞춘 방을 드리겠습니다."

"난 시계탑의 이런 게 좋아. 솔직히 방 아홉 개인 집이 흔하겠어? 이런 걸 바로 줄 수 있는 게 좋다 이 말이야." 로즈가 황금으로 된 벽을 만지며 말했다.

"시계탑 2층으로 가려면 어떻게 해야 하지? 빛을 불러볼까?" 키키가 말했다.

"그래, 빛?" 프린서가 박수를 두 번 치며 말했다.

"네? 부르셨습니까?"

"그래, 빛. 시계탑 2층으로 올라가려면 어떻게 해야 해?" 키키가 궁금한 눈으로 물었다.

"아, 이런. 역시 이런 것도 다 가르쳐 줘야 한다니. 더러운 플로어들이 맞네요." 빛은 그대로 자리를 뜨려 했다.

"뭐? 지금 그게 무슨 말이야! 빨리 시계탑 2층으로 갈 수 있는 방법을 알려 줘." 루션이 화를 내며 말했다.

"아무것도 안 하시면 당연히 2층으로 못 올라가죠. 학교라도 다니세요. 멍청한 플로어들아."

그들은 심히 놀란 상태였다. 분명 처음엔 자신들에게 매우 공손하고 매우 예의 있게 행동했던 빛이지만 갑자기 '더러운 플로어들' 이라느니, '멍청한 플로어들' 이라느니 못 하는 말이 없었기 때문이다.

프린서가 알아보니 플로어 1층의 학교 개학은 모두 다음 날 한다고 하였다. 프린서는 루니즈키루와 추방자들 모두를 학교에 입학 신청해 놓았다.

"난 왜 이렇게 시계탑에 온 게 실감이 안 되냐. 아직도 다 찢어진 이불 가지고 자야만 할 것 같아."

"아 맞다, 내 발명품들!" 파닉스가 소리쳤다. 금방이라도 울 것만 같았다.

"어떡하지? 지금 플로어로 내려갈 수 있나? 내려가면, 다시 올 수 있나?" 파닉스는 안절부절못해 금방이라도 뛰쳐나갈 것 같았다.

"파닉스. 진정해, 그런 건 이제 필요 없는 나이야." 로즈가 파닉스를 진정시키려 했지만 소용없었다.

"그게 뭔 소리야, 넌 알지도 못하면서! 내 발명품들은 어릴 때부터 나와 함께 해왔다고! …안 되겠어. 난 플로어로 내려갔다가 올게. 먼저 자고 있어!" 파닉스는 신발을 신고 뛰어나갔다.

"파닉스!" 키키가 소리쳤다.

"뭐 어쩌겠어. 이미 나갔는데. 너희 아까 아이디 카드 만들고 들어온 돈 봤어?" 프린서가 말했다.

"돈이 들어왔어?" 루션이 아이디 카드를 허공에 띄우고 확인했다.

"진짜네? 이러면 이제 우리 더러운 옷 버리고 새 옷 사 입으러 가자!" 루션은 신나서 폴짝 뛰었다.

"놔! 나를 왜 이렇게 못 살게 두고 난리야!" 언틸은 안대로 눈이 틀어막힌 채 시계탑 간부들에게 끌려가고 있었다.

"가만히 있어! 너, 알고 있는 걸 다 말해!"

"난 아무것도 모른다고. 날 내버려 두라고!"

"네가 플로어에서 한 짓이 뭔지 모르느냔 말이냐? 네가 뭔 말을 했는지!"

"내가 뭔 말을…."

언틸은 떠올렸다. 자신이 기절하기 전 했던 말을….

"시계탑의 왕자. 보고 있잖아. 시계탑의 4층은 존재해. 너도 알지? 내가 하고픈 말은, 그걸 왜 은닉하냐고! 온전히 네 공간인 시계탑 4층에서 죽은 모든 사람을 밝혀! 난 널 잡기 위해 모든 걸 할 거다. 지켜보라고!"

"그게 뭔 뜻인 진 너도 잘 알겠지?"

"맨날…."

"뭐?"

"맨날 나한테 '무슨 뜻인지 잘 알겠지?' '설명해라.' 이러는데. 내가 항상 알고 있어야 해? 내가 잘못한 거냐고! 시계탑 4층 있잖아! 내가 봤잖아! 왜 부정하는 거냐고!"

"시계탑 4층은 없다!"

"네가 어떻게 알아!"

"없다고. 없다면 없는 거라고!"

"네가 봤어? 거기서 사람들이 죽는 걸 보았냐고!"

"입 다물어!"

언틸은 시계탑 간부의 주먹에 맞고 그대로 기절했다.

"휴. 발명품들은 그대로 있군. 이제 시계탑으로 어떻게 올라가지?" 파닉스는 아이디 카드를 띄웠다. 디스플레이에 '시계탑 올라가기' 라는 버튼이 새로 생긴 것이 보였다.

"그래. 이거면." 파닉스가 버튼을 누르자 시계탑 위로 올라갔다.

"왔어? 내가 네 옷도 사놨어!"

"어라? 고마워."

파닉스는 발명품들을 시계탑에서 보자 기분이 좋아졌다. 그의 방도 제대로 생긴 와중에 발명품들을 더 정교하게 만들 수 있을 것이었다. 분명 '파닉스 바주카 정식 ver.1' 도 만들 수 있을 것이다.

아침에 일어나서 등교할 준비 했다. 키키는 언제 데리고 왔는지 조랑을 집 밖에 묶어 뒀었다.

"어? 조랑이네!" 루루는 조랑을 발견하자 빙그레 웃으며 조랑을 쓰다듬었다.

"빨리 학교나 가자. 조금 늦었어."

그들은 학교에 도착했다. 플로어 학교랑은 차원이 달랐다. 모두 금으로 장식되어 있었고, 선생님들도 단정한 정장을 차려입고 있었다.

"와. 시계탑은 학교부터 다르네. 일단 우리 반이 다르니까, 점심시간에 보자."

그들은 점심시간에 보기로 약속하고 서로의 반으로 흩어졌다.

"다들 아무 데나 자리 잡고 앉으세요."

루션은 아이들의 머리 색을 보고 놀랐다. 모두 회색이었다. 가끔 보이는 화려한 머리는 플로어에서 온 사람이었다.

"첫 수업으로는 시계탑의 역사를 알아보기 위해, 시계탑 정부에서 만든 애니메이션 보여드리겠습니다."

'옛날 옛적에, 시간의 신은 새로 만든 생명체에게 축복을 내리고 싶었어요. 그런 신은, 플로어의 한 가운데 커다란 시계탑을 세웠고, 그곳에 시계탑을 지키는 이누비스를, 시계탑을 관리하는 빛을 보내고 인간들을 잘 돌보라 했어요. 마지막으로 시간의 신이 제자에게 말했어요. "넌 시계탑으로 내려가 인간들을 위해 지도자가 되어라." 하지만, 시간의 신의 제자는 욕심이 강했어요. 배고픔에 굶주리는 인간들은 신경도 안 쓰고 유흥에 관심을 보이며 통치를 게을리했거든요. 그것에 화난 시간의 신은 제자에게 벌을 내렸어요. '늙음'이라는 벌을요. 시간의 신은 화가 나 모든 인간에게 늙음을 선사했고 그때부터 인간은 늙어서 죽게 되었답니다.'

루션은 보자마자 학교를 자퇴할 것을 굳게 다짐했다. 아무리 플로어 학교에 다닐 때 집중을 안 했어도, 세포가 분열하여 사람이 늙는다는 것은 대충 알고 있었다.

"이 내용은 시험에 나오니 잘 기억해두세요." 선생님은 그대로 수업을 이어 나갔다.

학교가 마친 후, 그들은 수업 시간에 있던 일들을 얘기하며 왜곡이 너무 심하다고 얘기했다.

"맞아. 플로어 사람들 머리 색이 다양한 이유가 똑똑할수록 머리 색이 무채색으로 변하는데 플로어 사람들은 멍청해서 그런 거라지 않나."

"빛!" 루션이 갑자기 외쳤다.

"왜, 또?"

"이젠 아예 그냥 반말하네?" 루션이 빛을 한 대 치려고 했지만 만져지지 않았다.

"치려고? 난 빛이라 안 쳐져. 왜 불렀는데? 난 시계탑에 대한 건 다 알고 있으니까 물어봐."

"다 알고 있다고?"

"맞다니까 그러네?"

"학교 안 다니고 시계탑 3층 바로 가는 방법 알려줘."

"뭐?"

"빨리 알려 달라고." 루션은 무슨 방법이 나오더라도 그대로 따를 생각이었다. 학교는 다신 만나고 싶지 않았다.

"당당하네. 3층 바로 가고 싶으면 나랑 싸워서 이겨. 너네 9명 다? 그러면 전투장 만들어 놓을게. 완성되면 내가 부른다."

"이게 이렇게 된다고?"

솔직히 루션도 될 줄 몰랐다. 그래도 괜찮았다. 학교만 안 다닌다면 뭐든 좋았다.

"아니 어떻게 할 생각인데!" 로즈가 정말 역겹다는 듯 소리쳤다.

"뭐가, 설마, 저 빛이 무섭기라도 한 거야? 우린 언틸도 그냥 이겼잖아. 무서울 건 없어!" 루션과 파닉스와 키키는 정말 당당한 표정이었다.

"그냥 이겼다고? 허 참 내. 제일 피 많이 나서 죽을 뻔한 사람이 누군데?"

"싸우지 말고. 더 빨리 올라가면 좋잖아? 일단 만반의 준비 해놔. 때리는 건 안 되는 게 확인되었으니까 마법 주문으로 최대한 많이." 프린서가 마법 지팡이를 닦으며 말했다.

로즈는 마땅치 못한 표정이었다. 학교에서 배울 것이 얼마나 많은데, 그것도 다 못 배우고 올라가면 그건 의미가 없었기 때문이다.

"준비됐어?" 빛이 그들에게 물었다.

"물론이지." 루션이 당차게 답했다.

"덤벼라!" 빛이 그들에게 달려들었다.

"살인의 바람!" 트래이어가 자신의 주특기 기술인 살인의 바람을 사용하였다.

"골든 스트라이커!" 아이퍼가 황금으로 이루어진 구체

를 빛에게 날려 빛의 힘을 빨아들이고 있었다.

"지금이야!"

아이퍼가 외치자 모두 공격 마법을 사용했다.

"콘세제로!"

"파워 업!"

"파이어볼!"

모두 공격 마법을 퍼부으자 빛의 속도가 확연히 느려진 것이 느껴졌다.

"이대로 멈출 수 없다."

빛이 말하자 그들은 눈앞이 섬광으로 가득 차 앞이 안 보일 지경에 이르렀다.

성- 하는 소리가 들리자 그들은 복부에 큰 상처를 입은 것을 느꼈다.

"루루! 회복 좀!"

"하스피탈 업!"

그들은 온몸이 따뜻해지며 몸이 축 늘어지는 것을 느꼈다. 그리고 상처가 서서히 아물기 시작됐다.

"덤벼라!"

칭-

푸쾅-!

쿠루루루-

"하, 쓰레기 플로어들이 제법 강하구나. 축하한다. 이 정도면 너희들에게 '합격'을 선사한다."

이겼다. 그들은 빛과의 싸움에서 이겨냈고 시계탑에 올라온 지 이틀째에 가장 높은 계급에 이르렀다.

"우리가 시계탑 3층에 올라가는 거야?" 로즈는 아직도 실감 나지 않았다.

"그렇다. 축하한다." 빛은 못마땅한 듯 말했다.

12. 시계탑 3층으로, 그리고 그림자 폭탄

"시계탑 3층이다!" 갑자기 최상위 계급이 됐다. 그리고, 가장 높은 곳에 올라 있었고, 돈을 벌려고 하지 않아도 알아서 돈이 들어왔다.

"그래도 난 이게 맞나 싶어." 로즈가 말했다.

"그래도, 어? 우리 루션이 덕분에 3층까지 올라온 거 아니겠어?" 프린서는 자랑스러운 듯 루션을 바라보았다.

"맞아. 덕분에 더 빠르게 작전을 실행할 수도 있게 되었고."

"이제 그림자 폭탄 설치한 다음에 터트리기만 하면 되는 거야?" 파닉스가 물었다.

"음…. 바로 터트리면 안 되지."

"왜?" 파닉스는 궁금한 듯 물었다.

"사람들 대피시켜야지."

사실 당연하였다. 사람들 있는 데서 시계탑을 폭파해 버린다면 그건 테러였다. 그들은 평등을 바라는 거지 테러를 바라는 게 아니었다.

"아. 그렇네. 그런데 난 궁금한 게 있어." 파닉스가 프린서에게 물었다."

"또 뭐가 궁금할까, 우리 파닉스는?"

"시계탑 4층 있잖아. 뉴스 보니까 자꾸 누가 시계탑 4층을 조사하려다가 잡혀갔다는데, 없으면 그냥 없다고 하면 되지 왜 조사하는 사람을 잡아가는 거야?" 파닉스말이 옳았다. 조사하는 것만으로 구속할 명분은 없었다.

"음…. 그러게? 그건 나도 잘 생각한 적 없는데? 나도 왜 잡아가는지는 잘 모르겠어."

"내 생각엔 뭘 숨겨놓은 것 같아." 펜스가 이야기에 끼어들었다.

"예전에 시계탑 4층 사진을 유포했다가 죽은 사람 있잖아. 일단 시계탑 4층이 있는 건 확실해. 내 생각엔 아마 무슨 실험 하고 있지 않을까? 불법적인 실험 같은 거." 일리가 있는 말이었다. 불법적인 일이 아니라면 숨겨놓을 이유가 없었다.

"그거에 대해선 나도 잘 모르겠어." 프린서가 단정지었다.

"만약에, 시계탑 4층이 있는 게 사실이라면, 그림자 폭탄 작전에 시계탑 4층도 포함해야 하는 거 아니야?" 로즈가 물었다.

"맞아. 완벽한 붕괴를 원한다면 맨 위도 부숴야지." 루션도 가세했다.

프린서는 잠시 고민해 본다고 하였다. 루션은 기가 막힌 생각을 해냈다. 빛은 시계탑의 모든 걸 안다고 했으니 빛에게 물어보면 안 되는 걸까?

"빛!"

"갑자기 빛은 왜…."

"네, 부르셨습니까? 플로어 따리, 아니 3층님들."

"너 이 녀석. 아무튼, 물어볼 게 있어. 넌 시계탑의 모든 걸 다 안다고 했지?"

"네, 맞습니다요!" 빛은 신성한 목소리로 굽신거리고 있었다.

"시계탑 4층에 대해 알려줘." 루션은 비장하게 말했다.

"아…. 이게. 그…. 시계탑 4층이 존재한다는 그것만 알려드릴 수 있습니다. 아 나 이것도 말하면 죽는데…." 빛은 어쩔 줄 몰라 했다.

"아무튼 고마워 빛!"

"시계탑 3층분이라서 알려드린 거예요. 다른 사람 아무한테도 말씀드리지 마세요."

"응, 약속해!"

빛이 떠났다. 시계탑 4층이 있다는 것이 확실해졌다. 이제, 시계탑 1, 2, 3층을 돌아다니며 그림자 폭탄을 설치해야 한다.

"지금은 밤이 늦었으니 전략만 짜자. 총 세 팀으로 나뉘어서 1, 2, 3층으로 가야 해. 1층엔 사람도 제일 많고 경비도 삼엄해서 어려울 거고, 3층에도 막 높은 사람 중요하다고 경비가 삼엄할 거야. 1층엔 나랑 트래이어랑 아이퍼가 갈게. 다들 동의하지?" 프린서는 동의를 구하는 눈으로 모두를 바라보았다.

"그래. 3층엔 루션, 파닉스, 로즈가 가줘."

"알았어."

"2층엔 나머지가 가는 거야. 다들 이해했지? 그림자 폭탄을 어떻게 설치하는지도 다들 궁금할 거야. 아이퍼? 보여줘."

아이퍼는 주머니에서 폭탄 하나를 꺼내 바닥에 던졌다.

"던지고 나서는 안 보이지? 자 이제 터트려 봐."

"여기서?" 루니즈키루는 모두 경악한 표정이었다.

"자, 이게 터진 거야." 아이퍼는 리모컨의 버튼 하나를 누른 체 말했다.

분명 아무 소리도 나지 않았다. 루니즈키루는 번뜩 점심시간의 모임 때 프린서가 해준 말이 떠올랐다.

"자, 이만 얼른 자고, 내일 하자."

"아 아, 여기는 2층. 폭탄 설치, 완료." 펜스가 무전기에 대고 말했다.

"여기는 3층. 어? 원래 이런 공간이 있었나?" 루션이 뛰어갔다.

"루션! 함부로 가지 마!"

"여기는 1층. 왜 그래?" 키키가 물었다.

"루션이 이상한 방으로 들어갔어. 무슨 생각이지?"

"여기 이것 봐봐!" 루션이 외쳤다.

"아무튼, 3층은 폭탄 설치 다 했어. 거기 다하면 연락해." 로즈가 말했다.

"2층도 완료."

"1층도."

"그러면 방에서 모여."

"자 모여봐! 일단 임무는 잘했어. 루션? 네가 보여준다는 게 뭐야?"

"무슨 책이야! 내가 읽어줄게. '20xx년. 0월 0일. 오늘은 시계탑 4층에서 사람의 힘을 극도로 끌어 올리는 실험 했다. 이 과정에서 많은 사람이 죽었지만, 내 상관인가? 빨리 플로어로 내려가야 한다. 트래이어, 펜스,

아이퍼가 의심을 살 수 있을 거니까.' 이게… 뭐야?"

"왜 우리 이름이 나오는 거야? 왜 프린서 네 이름은 없어?" 트래이어가 물었다.

"루션. 계속 읽어."

"'20xx년 0월 0일. 드디어 졸음운전 손목시계를 가진 사람을 만났다. 꼭 내가 가져야만 해. 아무튼, 내가 왕자라는 게 들키지만 않도록 실험을 진행해야 한다. -프린서' 이게… 뭐야…?"

"다 입 다물어. 조용히 내 지시에만 따라." 프린서는 마법 지팡이를 모두에게 겨눴다.

"프린서…?"

"따라 와. 너희들이 원하던 시계탑 4층으로 갈 거니까." 프린서는 눈빛이 돌변했다. 마치 조금 전과 전혀 다른 사람 같았다.

"프린서…?"

"다 설명할 거니까. 난 잘못이 없어." 프린서는 손을 부들거리고 있었다.

"프린서. …나와 친하게 지내던 건. 온전히 졸음운전 손목시계를 위해…. 하지만 그건 부쉈잖아. 언틸과 싸운 후 내가 던졌잖아!" 루션은 배신감에 절망에 빠졌다. 프린서는 루션, 나 자신을 위해서 만난 게 아니었다. 온전히 졸음운전 손목시계 때문이었다.

"프린서, 언틸이랑은, 무슨 사이야?" 루션은 물어보고 싶은 게 너무나도 많았다. 언틸과 같이 프린서도 졸음 운전을 노리고 있다. 그리고, 시계탑에서 내려왔다.

"트래이어. 넌 아는 거 없어? 왜 대답을 안 하냐고!"

"루션, 제발. 나도 아주 혼란스러워. 근데 너까지 이럴 필요는 없잖아!" 트래이어도 프린서를 따라갈 뿐, 아는 건 없었다.

멈췄다. 그 앞엔. 더럽고 녹슨 문 하나가 있을 뿐이었다.

"시계탑의 왕자. 프린서 왔습니다."

13. 진실을 향해서

"이게 뭔 소리야? 시계탑의 왕자라니!" 로즈가 눈물을 훔쳤다.

"이제 그냥. 그냥, 조용히 하고 **있어!**" 그 순간 프린서는 모두를 마법으로 밀쳤다. 그들은 깊은 암흑 속으로 떨어졌다.

그들의 눈앞에 거대한 슬라임이 서 있었다. 잡아 먹힌다면, 영원히 빠져나올 수 없을 것 같았다.

"이게 뭐야!" 파닉스는 절망했다.

"정신 차려! 프린서는 그렇게 많이 우리를 밀치지는 못했을 거야. 일단 앞으로 계속 가자. 이런 장애물이 있어도!" 루루는 그대로 앞으로 달려 나갔다. 그리고, 슬라임에게 잡아 삼켜졌다.

"루루!"

"루루! 괜찮아? 내 말 들려? 우리가 곧 구해줄게! 잠깐만 기다려." 말은 그렇게 했지만, 방법이 없었다. 하지만 로즈가 한 가지 방법을 생각해냈다.

"물! 뜨거운 물을 부으면 저게 녹지 않을까?"

로즈는 곧바로 실행했다. 마법으로 뜨거운 물을 소환했고, 슬라임은 굉음을 내며 녹아갔다. 그리고, 루루를 구해냈다.

"앞으로 계속 가. 무엇이 있든 간에!"

얼마쯤 달렸을까, 그들의 눈앞에 100마리는 족히 넘는 이누비스들이 있었다.

"저 정도는, 할 수 있겠지?" 루루는 잔뜩 겁먹었다.

"돌격! 마법을 퍼부어서 싸워!" 루션이 먼저 뛰었다.

"콘세제로!"

"파이어볼!"

"아웃컨트롤!"

다행인 것은 이누비스들이 마법은 쓰지 못한다는 것이다. 창만 들고 무식하게 달려드니, 멀리서 마법으로 공격하면 천 마리도 잡을 수 있었다.

"끝났어! 앞으로 가자!"

또다시 얼마쯤 달렸을까. 그들은 다리가 아파졌다. 키키가 끊임없이 달리기 마법을 걸어 줬지만 목적지에 도달할 생각이 없었다.

"잠깐만 쉬다가 가자. 더는 못 가겠어." 체력 회복 마법을 걸어 주던 루루가 풀썩 주저앉았다.

"그래. 이건 너무…. 흐악!"

그들은 바닥이 통째로 열리며 아래로 떨어졌다.

"오늘만 떨어지는 게 몇 번째야!" 파닉스는 그렇게 외쳤다.

"프린서!" 프린서다. 그들의 눈앞엔 프린서가 기다리고 있었다.

"조금 늦었네." 프린서는 그렇게 말하고 여유롭게 공격을 기다렸다.

"이 자식이!" 파닉스는 그대로 프린서에게 공격했다.

프린서는 가뿐히 피할 뿐 상처는 입지 않았다.

"쫓아 와. 너희들 양쪽에 있는 아홉 개의 문 중 하나가 정답이야. 그중에 내가 들어갈 문의 열쇠가 있는 방이 하나 있을 거야. 그걸 들고 문을 열면 된다고. 하지만, 잘못 선택한다면 목숨을 잃을 거야."

"야! 너 이리로 와!" 파닉스가 프린서에게 달려들었지만 이미 늦었다.

"일단, 어쩔 수 없으니…. 내가 가면 안 될까? 한 번만 믿어 봐."

"아이퍼! 혼자는 너무 위험해. 내가 같이 갈게!"

"루션, 너까지 간다고? 우리 주요 전력 둘이 빠지면…." 로즈는 걱정했다.

"괜찮아. 살아서 돌아올게. 너흰, 다른 방 좀 살펴봐 줘." 루션은 아이퍼의 손을 꼭 잡고 문을 열었다.

"살아서 봐."

그들은 문을 열고 앞으로 나아갔다. 칠흑같이 어두웠지만, 그들의 마법으로 앞을 훤히 밝혔다.

"여긴 뭐지?"

그곳은 물건들이 아주 많았다. 세상의 모든 물건이 그곳에 모여있는 것 같았다.

"소각장이야." 아이퍼가 물건 하나를 집어 들더니 말했다.

"뭐? 소각장?" 루션이 못 볼 걸 봤다는 듯 다시 물었다.

"응, 이곳은 이렇게 물건을 천천히 소멸시키면서 완전히 소각시키는 것이 목적인 곳이야. 어릴 때 책에서 봤어." 아이퍼는 반쯤 소멸한 곰 인형을 던졌다.

"그러면, 그건 사람에게도 마찬가지야?" 루션이 설마 하는 표정으로 물었다.

"응. 빨리 빠져나가지 못하면 사람도 완전히 소멸하고 말아."

"그러면, 그 뜻은."

"빨리 빠져나가지 못하면 죽는다는 거야."

"저게 뭐지?" 루션은 반짝하는 것을 하나 발견했다.

루션은 반짝하는 것 쪽으로 달렸다. 그리고 집었다. 그것은 분명히 열쇠였다. 분명했다.

"아이퍼! 이 방이 정답이었어. 열쇠야!"

"잘했어. 이제 가야 하는데. …무슨 소리 안 들려?"

아이퍼는 동작을 최소화하고 귀를 기울였다.

"저게 뭐야!" 루션은 멀리서 쿵쿵대며 다가오는 거대한 괴물체를 보았다.

"아이퍼! 내 말 똑바로 들어! 지금 못 피하면 우리는…."

아이퍼가 그 괴물체가 휘두른 손에 맞아 튕겨 나갔다.

"아이퍼! 괜찮아?" 루션은 날아가는 아이퍼를 향해 소리쳤다.

"내가… 이딴 공격에… 물러설 줄 알아?" 아이퍼는 마법 지팡이를 들었다.

"난 죽어도 프린서에게 한 걸음 나서고 죽는다. 내가 저 녀석을 막을게. 저 괴물이 우리를 쫓아오면 분명 우리 모두 전멸할 거야." 아이퍼가 전투 태세를 갖췄다.

"아이퍼…." 루션은 아이퍼와의 이별을 느꼈다.

"응. 꼭 너의 희생이 헛되지 않도록 나아가 볼게."

"루션! 다음에 볼 땐 웃으면서 볼 수 있겠지?" 아이퍼는 다시는 뒤 돌아보지 않겠다고 약속한 듯 괴물체를 향해 섰다.

"…"

루션은 눈물을 훔치며 친구들이 있는 곳으로 돌아갔다.

"루션! 아이퍼는? 열쇠는 구해왔어?" 트래이어가 물었다.

"…"

"루션? …아…? 아이퍼가…?" 모두 믿을 수 없는 눈치였다. 아이퍼가 죽었다니. 아이퍼를 보내지 말았어야 한다는 생각밖에 들지 않았다.

"됐어. 죽음에 대한 슬픔은, 나중에 생각하면 돼. 일단 중요한 건 프린서야. 프린서를 무찔러야 해." 그들은 문을 열고 앞으로 나아가자 있는 익숙한 사람, 프린서를 보았다.

"아, 아이퍼가 없군. 안타깝게 됐어. 다음은, 누구 차례일까?"

"입 다물어! 아웃 컨트롤!" 로즈가 경멸의 눈빛으로 프린서에게 주문을 날렸다.

"공전의 풀!" 루션도 공격에 가세했다.

"어쭈. 이렇게 나와?" 프린서는 공격을 준비했다.

"콘세제로!"

"이제 그 공격 따위 맞지 않는다!"

"래비티 에이크!"

"아웃 컨트롤!"

"파이어볼!"

"하스피탈 업!"

"살인의 바람!"

"스톤 브레이크!"

"디스암!"

"너희들이 아무리 덤벼 봐야 아무 소용없다!" 분명 프
린서는 최후의 일격을 준비하고 있을 것이다. 그걸 버
텨야 한다. 그걸 버티지 못하면 끝이다.

"루루! 곧, 곧이야!"

"벌써? 난 아직 힘이 덜 풀린 거 같은데." 루루는 다
친 친구들에게 치유 마법을 해주며 여유롭지는 않은 표
정으로 말했다.

"장난 칠 시간 없어! 모두에게 쓰는 거야. 할 수 있
지?"

"그래. 너랑 이거 연습한다고 얼마나 혼났는지. 모두
가까이 모여!"

"여기 중 몇 명은 곧 있으면 이제, 이승에서 못 볼 거
야. 작별 인사는, 어렵고, 최대한 버텨야 해!"

그 순간 루션은 이상한 광경을 봤다. 루루의 회복 반
경이 아닌 전혀 멀찍이 떨어진 다른 곳에서 공격하는
펜스의 모습을 말이다.

"펜스! 여기로 와! 거기 있으면 방어막 마법을 못 받
는다고!" 루션이 소리쳤다.

"루션, 모르겠어? 루루가 시전하려는 마법은 나까진
못 버틴다고. 그냥, 멋있게 가게 해줘."

"펜스! 이상한 소리 그만하고 빨리 와!" 루션은 애원
했다.

"정말 눈물겹군. 거의 다 끝났다. 펜스야. 곧 그토록

원하던 희생, 하게 해주마."

그 순간. 모든 걸 집어삼키는 듯한 섬광이 그들을 감쌌다. 모두가 예상했듯, 펜스는 더 이상 이 세상 사람이 아니었다.

그래도 좋은 소식이 있었다. 프린서가 마법을 시전하자 모든 마력을 사용했던 것인지 제대로 서 있을 수조차 없던 것이다.

"프린서! 바라는 게 뭐야!" 루션은 피투성이인 몸을 이끌며 말했다.

"원하는 것? 졸음운전 손목시계, 시계탑 4층을 알아버린 자들의 죽음이다."

"안타깝게 됐군, 넌 그 모두 이룰 수 없을 테니 말이야."

그 순간 키키의 조랑이 프린서의 위로 덮쳤다. 아무리 각성한 프린서라도 어른이 된 말의 몸무게는 버티지 못할 것이다. 게다가 힘이 많이 빠진 상태였으니 프린서를 끝내기엔 충분했다.

"공격해!"

마지막임을 깨달았다. 마지막으로, 루션이 외쳤다.

"소멸!"

마지막까지 아끼고 있던, 친구였기에 사용하지 않았던 마법, 소멸 마법을 프린서에게 사용했다.

"슬퍼할 시간 없어! 얼른 그림자 폭탄을 설치하고 내

려가!"

단 두 명을 제외한 루니즈키루와 추방자들은 시계탑 3층으로 내려갔다. 하지만….

"시계탑의 권력이 빈 건가? 아하하. 내가 그 자리를 노려도 아무도 뭐라 하지 않을 상황이구나."

트래이어는 프린서의 공백을 이용해 시계탑의 왕이 될 계획이었다.

14. 끝난 게 아니다

 혼란스러운 상황에 트래이어가 적으로 돌아섰다. 게다가 그들은.

 "잠깐만, 그림자 폭탄 리모컨은?" 파닉스가 물었다.

 "큰일났어. 그건 아이퍼가 들고 있을 텐데?" 루션은 번뜩 아이퍼와 헤어지기 전 아이퍼의 주머니 속 리모컨을 떠올랐다.

 "갔다 와야 해. 그게 없으면 우리는 이렇게까지 한 이유가 없잖아!" 로즈가 소리쳤다.

 "트래이어와 싸워 줄 사람도 필요하잖아. 그건 누가 하는데!" 루루가 눈물을 흘리며 말했다.

 "시계탑의 주인은 나다. 내가 권력을 가지고 있다!"

 "내가 할게!" 파닉스는 얼마 전 완성한 '파닉스 바주카 정식 ver.1'을 꺼내며 말했다.

 "이렇게 너까지 잃을 수 없어 파닉스!" 루션은 죽은 아이퍼와 펜스를 떠올렸다.

"그렇다고 아무도 여길 안 볼 수는 없잖아!" 파닉스는 바주카를 꺼내든 체 앞으로 나아갔다.

"파닉스!"

"나와 싸울 놈이, 너냐?" 트래이어는 마법 지팡이를 꺼내 들었다.

"지켜봐, 내 마지막 곡예를." 파닉스는 바주카를 장전했다.

파닉스를 뒤로한 체 그들은 달렸다. 뒤돌아보지 않고 달렸다. 루션과 키키는 그들의 13년 지기 친구를 잃었다. 분명 이 계급 사회를 끝내기 위해 시작한 일이었지만, 일이 더 커져 버렸다. 이제 그들의 옆엔 지켜줄 친구가 없다.

시계탑 4층에 도착했다. 문을 잠글 시간 따위 없었기에 문은 처음 그대로 열려 있었다.

"몇 번째 방이었지?" 그들은 프린서와 만나기 전 지나쳤던 방으로 향했다.

"분명 여기였을 거야." 루션은 문을 열었다.

"나랑 같이 가자. 조랑은, 주인 외엔 명령을 따르지 않거든." 키키가 조랑 위에 올라탔다.

"가자." 루션은 문을 열고 마법 조랑말 위에 올라탔다.

"찾고 올게."

그 시각 파닉스는.

"**제발 이제 끝내자고!**" 파닉스는 자신이 손수 제작한 바주카를 트래이어에게 한 발 한 발 조심히 날렸다.

트래이어는 빈틈을 찾았다. 파닉스가 바주카를 재장전하는 시간 동안에는 파닉스도 피할 수 없을 것이다.

"끝내자. 지금" 트래이어는 재장전하고 있는 파닉스의 허리에 살인 저주를 쐈다. 그대로, 파닉스는 세상을 떠났다.

"루션. 여기 있는 게 맞을까?" 키키는 주위를 두리번거리며 말했다.

"분명, 분명 있을 거야. 없어도 찾아야 해." 그 순간 루션은 자신의 눈앞이 잠시 어두워지는 것을 느꼈다.

"뭐지?"

"저 그림자!"

그제야 루션도 주위를 뛰어다니는 아이퍼 모양의 그림자를 발견했다.

"아이퍼가 아닌데, 왜 눈물이 나지?" 루션은 흐르는 눈물을 닦았다.

"아이퍼는, 쓸 수 있는 마법의 한계로 그림자 분신을 밖으로 보내지 못했을 거야." 키키는 아이퍼의 그림자 분신이 건네는 그림자 폭탄 실행 리모컨을 받았다.

"고마워. 다시 보자, 아이퍼." 그 말을 뒤로 그들은 조랑에 올라탔다.

"가자."

루션은 정말 끝이 다가옴을 느꼈다. 정신없이 뛰다가 넘어지고, 또 뛰다가 넘어져도 즐거웠던 그냥 별 볼 일 없는 플로어였지만, 이젠, 혁명가가 되어 있었다.

조랑이 입구에 도착했다.

"구했어. 뛰자!" 루션은 제자리에 있는 친구들을 보며 말했다.

"파닉스는 괜찮을까?" 루루가 물었다.

"모르겠어. 근데, 트래이어가 난동을 부리는 바람에 사람들이 모두 플로어로 빠져나가 있어. 우리가 할 일 하나가 줄어들었어." 루션이 헉헉대며 말했다.

"제발, 파닉스가 살아 있기를." 키키는 뛰면서도 기도 했다.

시계탑 2층에 도착했다. 지금쯤이면 트래이어와 싸우고 있어야 할 파닉스가 보여야 했다. 하지만….

"파닉스!" 루션이 소리쳤다.

파닉스는 당연하게도 트래이어가 쏜 살인 저주에 맞아 죽어있었다.

"이제 모두 돌아갈 때군. 내가 시계탑의 왕이니 말이야." 트래이어는 마법 지팡이를 손에 들었다.

"네가 파닉스를 죽였구나? …쓰레기. 살인자. 콘세제로!" 루션의 마법에 트래이어는 몸부림쳤다.

"살인의 바람!"

모두가 알고 있듯. 칼날보다 날카로운 바람이 불어왔

다. 키키가 보호막 마법을 사용했다.

"안 되겠어. 일격을 준비할 수밖에." 트래이어는 다시 프린서가 앞서 보여주었던 최후의 일격을 준비했다.

"다시 해야겠지?" 루루가 치유 마법을 준비하며 말했다.

"안 돼. 그 마법은 두 번 이상 사용하면…." 루션은 끝내 말을 잇지 못했다.

"내가 안 쓰면 모두가 죽잖아. 나 정도는…." 루루도 끝내 말을 잇지 못했다.

"할 거면 해. 난 말렸어."

"…루션. 나 죽기 전에 할 말이 있어." 루루는 눈물을 흘리며 말했다.

"나, 너 좋아해. 지금 말하는 게 염치없지만…."

루루는 끝내 자신의 마음을 고백했다. 루루는 루션과 첫 만남 때부터 루션을 좋아하고 있었다.

"받아줄 수 없다는 거. 나도 알아. 다음에 다시 한번 만나면, 그땐 받아줄 수 있겠지?"

루션은 말없이 묵묵하게 공격만을 이어갔다.

"…다음에 만난다면, 그땐 받아줄게." 루션은 루루의 곁으로 다가왔다.

트래이어의 최후의 일격이 다가왔다.

"모두 루루 주변으로 모여!"

쾅!

눈 앞을 가리는 섬광이 다시 한번 비쳤다. 루루는 싸늘한 주검이 되어 있었지만 트래이어는 여전히 살아있었다.

"셋밖에 안 남았네? 이제 완전히 끝이다!"

"더 이상 안 봐줘. **결속!**" 루션은 마법으로 완전히 트래이어를 묶어버렸다.

"뛰어! 키키, 달리기 마법을 걸어줘!" 그들은 달리기 시작했다.

시계탑 1층으로 내려왔다. 이제 출구가 눈앞에 보인다. 저 출구만 넘으면 모두 끝이다.

그 순간, 트래이어가 날뛰며 쫓아오는 소리가 들렸다.

"버튼을 눌러!" 키키가 소리쳤다.

루션은 버튼을 눌렀고, 시계탑 4층부터 폭탄이 터지고 있었다.

폭탄이 2층까지 내려온 직후, 그들은 출구가 5미터도 안 남아 있었다.

트래이어는 마지막 순간에 제 죽음을 직감했다. 마지막으로 한 명을 데려가고자 살인 저주를 사용했다.

키키가 그 대상이었다. 출구가 눈앞에 있지만, 끝내 바깥을 못 봤다.

"**키키!**" 살아남은 루션과 로즈는 출구 밖으로 나와 완전히 사라지고 있는 시계탑을 바라보았다.

루션과 로즈는 완전히 불타 사라지고 있는 시계탑을

허무하게 보고만 있을 수밖에 없었다. 처음엔 모두가 같이 살아남아 플로어의 평등을 이루자고 약속했지만, 프린서의 배신으로 악몽이 시작되었다.

"…프린서, 트래이어…! 배신자들. 살려 내, 살려내라고! 너희 때문에 죽은 내 친구들 **살려내라고!**" 루션은 하늘을 향해 울부짖었다.

15. 평등

죽은 자들의 희생으로 모든 것이 끝났다. 다만, 살아남은 자들은 할 일이 남아 있었다.

"시계탑을 왜 부순 거야!" 시계탑의 고위 관료가 말했다.

"모든 계급을 없애고 모두 평등하게 지내게 해 주신다면 저희도 그 이유를 말해 주겠습니다." 루션이 말했다.

"너 딱 두고 봐!"

"그건 저 아이들 말이 맞는 거 같은데요?" 스타 아줌마가 말했다.

"그 의견엔 저도 동의합니다." 푸퍼크 아저씨도 나와 말했다.

"우리 플로어들은 '평등'을 촉구하는 바입니다." 스티스 선생님도 와서 강력하게 주장을 펼쳤다.

혁명. 말 그대로 혁명이었다.

그 뒤로 모든 것이 뒤바뀌었다. 플로어들은 시계탑 사람들에게 차별받지 않아도 됐고, 플로어들도 시계탑으로 마음대로 오고 갈 수 있었다.

"얘들아. 왜…. 왜 먼저 간 거야." 루션은 죽은 자들의 장례식에서 슬피 울었다. 로즈도 마찬가지였다.

"루루야…. 그리고, 얘들아…. 그렇게 급할 필요는 없었잖아…."

플로어 사람들은 행복해졌으나 루션과 로즈는 친구를 잃었다. 원하던 바를 이뤘어도 친구를 잃었다. 평생을 같이하기로 약속한 친구를.

"언틸?"

"예. 기다리고 있었습니다."

"쓰레기의 끝은 항상 비참하더군."

"… 저는 쓰레기입니까?"

"그래. 넌 시계탑으로 갈 학생들을 무자비하게 학살한 쓰레기야."

"… 저는 왜 그래야 했습니까?"

"그걸 왜 나한테 묻나? 가장 잘 아는 건 자신이면서."

언틸은 어려서부터 늘 혼자 살아나는 법을 깨달아야 했다. 부모님은 돈에 눈멀어 어린 아들을 외면하였고,

돈에 눈먼 부모는 시계탑에서 처형당했다.

언틸은, 불행인지 행운인지, 살았다. 아니, 불행이다.

언틸은 혼자 살아남는 법을 알았다. 그러기 위해선, 누구보다 치졸해지고, 누구보다 이기적이어야 했다.

그 결과, 언틸은 감정을 잊어버렸다. 행복. 언틸은 살아남기 위해 행복을 버렸다. 사랑. 언틸은 살아남기 위해 사랑을 버렸다. 욕심, 욕심만을 가져야지 살아남을 수 있었다. 질투, 질투만을 가져야지 살아남을 수 있었다.

그렇게 살아남은 언틸은 제정신이 아니었다. 무엇이 옳고 그른 것인지 알 수 없었고, 무엇이 이타적인지 신경 쓰지 않았다.

그렇게 언틸은 열한 살이 됐다. 언틸은 시계탑을 조사하다가 우연히 어둠의 마법에 대해 알게 됐다. 어둠의 마법에 대해 조사하던 언틸은 직접 어둠의 마법을 익혔다.

플로어에 어둠의 마법을 사용하는 자가 있다는 소문을 들은 시계탑의 기업인이 언틸과 접촉했다. 언틸은 그 순간부터 놀라운 성장을 맛보고 사람들과도 많이 만나봤다.

하지만, 욕심과 질투만을 품고 살아오던 언틸이 사람들과 친하게 지낼 수는 없었다. 언틸은 사람들이 항상 자신이 이해하기를 원하고, 항상 자신이 양보하기를 원

한다고 착각했다.

어느 날 언틸은 임무를 부여받았다.

"예언에 쓰인 아홉 명을 찾아서 죽여라. 그 아홉 명이 살아남는다면 우리의 현재 위치도 지키지 못할 거니까."

"예언 말입니까? 저한텐 한 번도 보여주신 적이 없습니다." 언틸은 어리둥절한 표정으로 말했다.

"아무도 언틸한테 예언 안 보여줬나? 그래. 예언을 보여줘야겠군."

시계탑으로 올라온 9명의 인간은, 시계탑의 파멸을 도래하고 혁명을 일으킬지니. 그들 중 가장 강한 자는 오만에 심취해 자신의 종말을 믿지 못할 것이다. 그와 가장 친했던 자는 질투에 휩싸여 가장 위에 올라 있고 싶어 모두를 배신하노라. 모두를 위한 선한 마음을 품고 있던 자는 결국 종말을 맞을 지어라. 계속하여 밤을 보는 자는 끝내 아침을 보지 못할지어다. 그들을 이끄는 자는 살아남아 아침보다 더 밝은 곳을 향해 갈 것이며, 불을 내뿜는 새는 마지막으로 노래하며 눈물 한 방울 흘리며 가네. 아름다운 수녀는 자신의 진실을 믿지 못한 채 진실을 좇네. 항상 희생하고 달렸던 말은 더 달리기 위해 하늘 위로 올라가노라. 이끄는 자를 사모했던 자는 자신의 마음을 말하고 편히 잠들지어다.

"하. 하마터면 잠들 뻔했네요. 예언이 왜 이렇게 깁니까?"

"헛소리 마라. 넌 이 예언에 나오는 9인을 찾아 죽여야 해. 때마침 시계는워치가 학교 사업을 준비하고 있다고 하니 그게 진실인 지도 확인하고."

"알겠습니다."

"언틸. 마지막으로 하고 싶은 말이 뭐냐?" 언틸의 머리에 총구가 들이밀어졌다.

"난 열심히 했다. 운이 안 따랐을 뿐."

펑!

학살자였던 그는 그렇게 세상을 떠났다.

floor. 플로어는 대부분 '층'이라는 의미를 갖기도 하지만 '바닥'이라는 의미도 있다. 당신이 밟고 있는 바닥은 누군가의 '천장'이다. 당연하게 매일 밟고 있던 바닥을. 누군가는 올려다봐야 하는 천장. 계급은, 실로 바닥이라 할 수 있다.